★ VOYAGE ★ HÉBERGEMENT ★ BARS ET RESTOS ★ SHOPPING ★ CULTURE ★

WEEK-END
PAS CHER
NEW YORK

★★★
2011
★★★

⊙ MICHELLE CREMNITZ

D1223554

L'ART ET LA MANIÈRE
DE VOYAGER
★ SANS SE RUINER ★

LES BEAUX JOURS

Merci à Sandrine Gulbenkian pour son soutien à toute épreuve, sa confiance (presque) aveugle et ses commentaires toujours éclairés.

À Tom et Tina, pour qui rien n'est inaccessible.

Nos adresses ont été sélectionnées selon des critères de prix, de qualité et d'atmosphère.

Au sein de chaque rubrique, elles sont classées géographiquement, du nord vers le sud, selon un découpage de la ville en 18 quartiers (voir la carte dans le rabat).

Pour toute remarque ou suggestion, vous pouvez nous écrire à l'adresse suivante : weekendpascher@lesbeauxjours.com

Sommaire

New York à peine évoquée, voilà que les images défilent : une main se lève pour arrêter un taxi jaune, des rangées de gratte-ciel dessinent la *skyline*, des amoureux s'enlacent sur le pont de Brooklyn, des enfants s'éclaboussent autour d'une bouche d'incendie, les pancartes publicitaires de Times Square clignotent, un homme court dans Central Park... Tout le monde se souvient sans aucun doute des tours en flammes le 11 septembre 2001, de Woody Allen tentant de séduire Diane Keaton dans *Annie Hall*, de Carrie Bradshaw dégustant un *Cosmo* avec ses copines, de l'assassinat de John Lennon à Central Park, des *working girls* en tailleur et baskets, de Basquiat et Warhol dans un loft de Soho. Parce que la ville existe en images, réelles ou fictives, à chaque coin de rue, on se sent dans un film, rattrapé par la mémoire collective.

Ce n'est pas par hasard que New York, métropole du mouvement, accueille chaque année le marathon le plus célèbre du monde. À pied, en métro, en ferry ou à vélo, on profite du dixième du quart de ce qu'elle offre : de Brooklyn à Harlem, il faudra partir à point et courir quand même pour tenter de tout voir.

Oui la vie y est chère, et les hôtels de luxe et les restaurants gastronomiques pullulent, mais les sorties gratuites et les bouis-bouis authentiques abondent également. Vous les trouverez en nombre dans les pages qui suivent, ainsi qu'une kyrielle de *tips* ("trucs et astuces" en français) pour découvrir tout ce qu'un guide ne peut mettre à jour en temps réel.

Avant de commencer, voici un conseil sincère – mais certes un peu paradoxal – à vous, utilisateurs du présent ouvrage : dans une ville-monde comme New York, les meilleures adresses sont celles que l'on trouve soi-même. Les voyageurs malins se serviront de ce livre comme d'un outil permettant de s'égarer sans perdre ni la raison ni ses dollars !

30 expériences incontournables pour un (grand) week-end à New York

1. Traverser le **pont de Brooklyn** à pied et le **pont de Manhattan** à vélo. (p. 156)

2. Prendre le **ferry** (gratuit) **jusqu'à Staten Island** juste pour le plaisir d'admirer la vue. (p. 35)

3. Passer l'après-midi au **Met** à mimer les *Soap Bubbles* de Chardin. (p. 143)

4. S'empiffrer de *dim sum* à **Chinatown**. (p. 92)

5. Déguster un ***Cosmo*** devant le coucher de soleil.

6. Respirer les roses au **jardin botanique** de Brooklyn. (p. 169)

7. Arpenter les **allées de Central Park**, entre *Museum Mile* et son *dive* (rade en français) favori de l'Upper West Side. (p. 142)

8. Apprendre des rudiments de hindi à **Jackson Heights**.

9. S'agenouiller sous la nef de la **cathédrale de Riverside Drive**.

10. Boire la tasse en plongeant dans les vagues à **Jones Beach**. (p. 172)

11. Lever les yeux au ciel devant l'**Empire State Building**. (p. 150)

12. S'émouvoir de l'histoire des immigrés du **Lower East Side**. (p. 146)

13. Faire du lèche-vitrine sur **Madison** et satisfaire son envie de shopping à **Soho**. (p. 179)

14. Découvrir son nouveau metteur en scène préféré à la **Brooklyn Academy of Music**. (p. 135)

15. S'abasourdir de sons et lumières devant les panneaux publici-taires de **Times Square**.

16. Jouer des coudes, et des paupières, pour entrer dans le nouveau **club branché** de la semaine. (p. 122)

17. Chiner le week-end dans les **rues de Brooklyn**. (p. 186)

18. S'imbiber de **jazz à Harlem**. (p. 127)

19. Monter et descendre les escalators du **MoMA**. (p. 145)

20. Commander un **burger** *medium-rare* avec l'accent adéquat.

21. Faire une balade à cheval dans les **forêts du Bronx**. (p. 169)

22. Écouter un récital de Chopin devant les **gratte-ciel de Down-town**. (p. 138)

23. Se perdre dans le labyrinthe du **West Village**.

24. Descendre en bande dans un *beer garden*. (p. 108)

25. Se prendre une raclée au billard dans un **bar du Lower East Side**. (p. 117)

26. Regarder le ciel changer de couleur dans la **salle James Turrell à PS1**. (p. 147)

27. Applaudir un jeune rocker dans l'**East Village**.

28. Vider une bouteille de sirop d'érable sur ses *pancakes*.

29. Passer en coup de vent à un **vernissage de Chelsea** pour féliciter l'artiste.

30. Arpenter les couloirs du **métro**, sans son plan.

New York

COMPRENDRE
NEW YORK

New York en 20 dates

1524 Giovanni da Verrazano, explorateur florentin au service du roi de France François Ier, est le premier Européen à découvrir les côtes de New York, quarante et quelques années après Christophe Colomb. Un hommage lui fut rendu en 1964 avec la construction du pont de Verrazano, reliant Brooklyn à Staten Island, dans les "Narrows". C'est dans cette partie plus étroite entre les deux baies que ses flottes accostèrent, sans jamais débarquer.

1609 En route vers le grand Nord, l'Anglais Henry Hudson jette l'ancre dans la baie qui porte désormais son nom. Victime d'une mutinerie, l'explorateur mourra perdu en mer deux ans plus tard.

1626 Le directeur des colonies hollandaises, Pierre Minuit, rachète l'île de Manhattan aux natifs Américains (les Algonquins l'appelaient "Mannahatta" : l'île aux collines) pour l'équivalent de 24 $, payés en bibelots.

1664 Les Anglais, installés au nord de New York en Nouvelle-Angleterre, s'emparent de la Nouvelle-Amsterdam et la ville est rebaptisée New York en hommage au duc d'York, le frère et héritier du roi d'Angleterre Charles II.

1789 George Washington est élu premier président des États-Unis à New York. L'année suivante, il décide de déplacer la capitale à l'embouchure du fleuve Potomac entre les États du Nord et du Sud, à Washington, D.C.

1792 Création du New York Stock Exchange à Wall Street. Sous un arbre au sud de l'île, vingt-quatre courtiers signent un accord visant à appliquer un même taux de commission à toutes les ventes de titres. La ville devient alors un centre financier international.

1851 Fondation du journal *New York Times*.

1857 Elisha Otis installe le premier ascenseur au monde, au 488 Broadway à Manhattan. Frederick Law Olmsted et Calvert Vaux remportent un concours organisé par la ville et commencent le développement de Central Park qui ouvrira ses portes en 1876.

1883 Inauguration du pont de Brooklyn, le plus long du monde. Ses 1 825 mètres permettent de traverser l'East River pour rejoindre Manhattan depuis le quartier de Brooklyn.

1886 Inauguration de la Statue de la Liberté. Le centre d'immigration d'Ellis Island ouvre six ans plus tard alors que New York compte plus de 3 millions d'habitants.

1898 Union des cinq communes – Staten Island, Brooklyn, le Bronx, le Queens et Manhattan – pour former New York qui devient ainsi la deuxième ville la plus peuplée au monde après Londres.

1904 Mise en service du métro souterrain.

1913 Mise en service de Central Station, la plus grande gare au monde.

1929 La bourse de New York s'effondre. Le *Black Thursday* engendre une grave crise économique mondiale.

1931 L'érection de l'Empire State Building (381 mètres) vaut à New York le titre de capitale des gratte-ciel.

1945 Création de l'Organisation des Nations Unies (qui remplace la Société des Nations). Le 24 octobre, ses quartiers généraux s'installent à New York.

1977 L'avion supersonique Concorde relie Paris à New York pour la première fois. Le dernier vol aura lieu en 2003.

2001 Les attaques terroristes du 11 septembre détruisent les tours du World Trade Center construites en 1973.

2002 Succédant à Rudolph W. Giuliani, le républicain Michael R. Bloomberg est élu maire de la ville. Il a notamment mis en place le service d'information "311" et la loi antitabac.

2008 Octobre noir à Wall Street où le marché s'effondre. C'est la pire année depuis le krach de 1929. Le 4 novembre, Barack Obama est élu 44e président des États-Unis d'Amérique.

Géographie de New York

Une ville au milieu des eaux

L'île de Manhattan est entourée de trois fleuves : à l'ouest, la Hudson River face au New Jersey, à l'est, l'East River qui longe Brooklyn, et au nord, la Harlem River qui la sépare du Bronx. Sa situation géographique proche de l'océan Atlantique est, à l'origine, ce qui a fait de New York une zone portuaire parmi les plus prisées au monde. Les vents marins peuvent être impitoyablement froids en hiver. Ils balaient la ville, lui conférant ses ciels bleus mythiques, sans l'ombre d'un nuage.

Uptown, Midtown, Downtown

À Manhattan, les New-Yorkais appellent généralement Uptown tout ce qui se trouve au-dessus de Central Park, Midtown l'ensemble des rues en deçà, de 14th à 57th Street, et Downtown tout ce qui se situe au sud de 14th Street.

Se repérer dans le quadrillage des rues

La ville suit un quadrillage pratique pour se repérer : les rues à l'horizontale sont numérotées du sud au nord de 1st à 220th Street, et les avenues, à la verticale, d'est en ouest, de 1st à 12th Avenue. La 5th Avenue sépare l'île en deux parties, et Broadway zigzague en diagonale. Les rues sont toujours précédées de la mention East ou West (heureusement, parce qu'elles peuvent être longues).
Attention, les numéros de rue disparaissent au sud de Manhattan pour répondre à des noms aussi inventifs que déroutants : Orchard Street (comme un verger) se transforme en Pike Street (comme un brochet) de l'autre côté de Division Street. La logique est aussi mystérieuse qu'un poème surréaliste !

Les *boroughs* de New York

L'agglomération de New York regroupe cinq municipalités ou *boroughs* : Manhattan (la plus célèbre), le Bronx, le Queens, Brooklyn et Staten Island. Bien que le New Jersey n'en fasse théoriquement pas partie, en pratique, nombreux sont les habitants des villes limitrophes à travailler à Manhattan. Sur plus de 1 200 km², avec plus de 300 km de lignes de métro, la ville compte plus de 8,2 millions d'habitants.
Les *boroughs* de New York se divisent en quartiers, ayant chacun une identité et une ambiance particulière. Ils sont présentés ci-dessous, regroupés en zones, du sud au nord de Manhattan, et d'ouest en est à Brooklyn (qui fait trois fois la taille de Manhattan) et dans le Queens.

Manhattan

1 • LOWER MANHATTAN ET TRIBECA

La pointe sud de l'île, de Wall Street au South Street Seaport
– l'ancien quartier des pêcheurs, à l'est – héberge depuis plus de
deux siècles le centre des finances, le Financial District, plus connu
sous le nom de Wall Street. Son architecture variée, entre gratte-ciel,
anciennes usines et petites maisons de ville, lui donne un charme
typique et authentique. C'est là que l'on prendra le ferry pour Brooklyn, Staten Island ou la Statue de la Liberté.
À TriBeCa – *Triangle Below Canal Street* –, galeries d'art et boutiques design ont commencé à s'installer dans les rues pavées, tout
comme à Soho.

2 • LITTLE ITALY ET CHINATOWN

Il ne reste presque plus rien du quartier des Italiens. Aujourd'hui,
Little Italy se limite à deux rues très touristiques et à quelques églises
catholiques. En revanche, Chinatown est bien en vie et quand on se
perd dans le dédale des rues, on se croirait en Asie.

3 • SOHO, NOHO ET NOLITA

Les immeubles industriels de cet ancien quartier bohème et indus-
trieux ont été convertis en lofts et en ateliers dès les années 1970
(Andy Warhol et Jean-Michel Basquiat y ont vécu). Sous leurs
volumes impressionnants, ils abritent aujourd'hui plus de vêtements que de toiles subversives. Passablement surfait, le shopping
y est l'attraction principale, bien qu'à l'ouest, quelques très bonnes
galeries exposent toujours des artistes intéressants.

4 • WEST ET GREENWICH VILLAGE

Du campus de New York University à Washington Square Park, jusqu'à l'Hudson, le Village avec ses rues pavées et arborées est un des plus jolis quartiers de New York. Hôtels particuliers et architecture du XIXe siècle redonnent à la ville une échelle humaine. Ici, on trouve des *diners* authentiques, des librairies et des intellos en goguette. C'est un des quartiers mythiques de la ville, très présent dans tous les films à la gloire de la Grosse Pomme.

5 • LOWER EAST SIDE ET EAST VILLAGE

Les immigrés d'Europe de l'Est et les travailleurs du monde entier ont contribué à donner son ambiance populaire et multiculturelle au Lower East Side. Aujourd'hui et malgré l'embourgeoisement inéluctable du quartier, les genres s'y mélangent toujours. Entre clubs de rock alternatifs, synagogues et galeries d'art contemporain, l'énergie y est palpable.

Au nord, East Village et Alphabet City, anciens repaires de drogués dans les années 1980, sont devenus pour les 20-40 ans un des hauts lieux hype de la nuit.

6 • UNION SQUARE, FLATIRON DISTRICT ET GRAMERCY PARK

Pôle de démarcation entre le nord et le sud, Union Square et ses alentours en plein centre de Manhattan préparent l'œil à Midtown et à ses gratte-ciel. Le Flatiron et, au loin, l'Empire State Building comptent parmi les plus beaux buildings de la ville (voir pp. 150 et 154).

7 • MEATPACKING DISTRICT ET CHELSEA

Cet ancien quartier des bouchers et des prostituées est situé dans une zone longtemps désaffectée. Le Meatpacking a suivi Chelsea au nord, devenu le quartier principal des galeries d'art contemporain dans les années 1990. Boutiques et restos se sont aussi implantés en nombre dans cet épicentre du clubbing, gay ou hétéro.

8 • MIDTOWN EAST ET KOREATOWN

Entre Herald Square, le magasin Macy's, la rue des Coréens, la gare de Grand Central, l'Empire State Building et la tour de Nations Unies, on pourra faire un détour par Bryant Park, admirer le sapin de Noël (en saison) au Rockefeller Center ou visiter le MoMA.

9 • MIDTOWN WEST, TIMES SQUARE ET HELL'S KITCHEN

Broadway passe à l'ouest, tandis que les néons de Times Square indiquent le nord. Dans ce quartier où les théâtres abondent, place aux shows et à l'*entertainment*. Après la gare de Penn Station et la station routière de Port Authority vers le fleuve de l'Hudson, l'ancienne Hell's Kitchen ("la cuisine du diable" en français) est à présent truffée de restos qui n'ont d'infernal que les foules qui s'y pâment.

10 • MUSEUM MILE ET UPPER EAST SIDE

C'est le quartier où les immeubles ont leur portier en livrée, où les chiens ont leur dog-sitter attitré et où les amateurs d'art se pressent en flopées.
Quintessence du chic, les boutiques de Madison Avenue donnent le ton. Longeant Central Park (voir pp. 163 et 168), le poumon de la ville, Museum Mile rassemble certains des plus beaux musées du monde (voir p. 142).

11 • UPPER WEST SIDE ET MORNINGSIDE HEIGHTS

À l'ouest de Central Park, délimité par le Lincoln Center et le Metropolitan Opera House au sud et par le campus de Columbia University à Morningside Heights au nord, ce quartier résidentiel héberge familles et étudiants, tout comme la "gauche caviar" de Manhattan. Le luxe y paraît plus discret qu'à l'est et on y trouve encore des bistros abordables. Le long du fleuve de l'Hudson, Riverside Drive et sa cathédrale valent le détour.

12 • HARLEM (EAST ET WEST), WASHINGTON HEIGHTS ET INWOOD

Au nord de Central Park, Harlem s'étend sur une quarantaine de rues. Le quartier atteint ensuite le bout de l'île face au Bronx où Washington Heights et Inwood accueillent les réfugiés économiques. À l'est, East Harlem, aussi appelé Spanish Harlem ou Barrio Latino, abrite les communautés hispaniques. À l'ouest et au centre, Harlem (tout court) est le quartier afro-américain par excellence, où temples du jazz et églises baptistes s'égrènent au fil des rues aux majestueuses maisons du XIXᵉ siècle. Harlem étant de plus en plus prisé par les bobos attirés par ces maisons encore relativement abordables, de fait, des tensions sociales apparaissent, mais le quartier reste beaucoup plus accueillant que durant les dernières décennies. À découvrir absolument, pourquoi pas un dimanche, à l'heure de la messe !

Brooklyn

13 • BROOKLYN HEIGHTS, DUMBO ET RED HOOK

Le long de l'East River, Brooklyn Heights et sa fameuse promenade avec une vue imprenable sur l'île de Manhattan est incontournable. Cependant au nord, Dumbo – Down Under the Manhattan Bridge Overpass : soit littéralement, sous le pont – et Red Hook méritent un détour pour leurs cafés et leurs restos de quartier et pour l'ambiance artistique postindustrielle qui y règne.

14 • CARROLL GARDENS ET BOERUM HILL

Le quartier jeune et branché de Smith Street se trouve à l'épicentre. Il propose autant de restos et de boutiques branchées que Manhattan, mais à des prix plus abordables. Les petites rues aux maisons du XIXᵉ siècle bordées d'arbres reposent le regard et évoqueraient presque la campagne. À Boerum Hill, le Fulton Street Mall, les antiquaires d'Atlantic Avenue ou les petits magasins orientaux réjouiront les gourmands comme les chineurs.

15 • FORT GREENE, CLINTON HILL ET BEDFORD-STUYVESANT

À Fort Greene, où la Brooklyn Academy of Music invite depuis plus d'un siècle les amateurs à découvrir le meilleur de la création contemporaine, on trouvera également nombre de restaurants bio, ethniques ou fusion, en particulier sur Fulton ou DeKalb Avenue. Plus loin, Clinton Hill et Bed-Stuyvesant sont encore en voie de transformation : là, bouis-bouis hispaniques, africains ou caribéens sont encore authentiques.

16 • PARK SLOPE

À l'orée de Prospect Park, repaire de familles bobos, les poussettes se bousculent ! Les restos et boutiques abondent de 5th à 9th Avenue (ou Prospect Park West). De l'autre côté du parc, à Prospect Heights, on ira du Brooklyn Museum à la grande bibliothèque, dans une ambiance beaucoup moins tendance et nettement plus urbaine.

17 • WILLIAMSBURG ET GREENPOINT

Au nord de Brooklyn ou au sud du Queens, Williamsburg et Greenpoint ont accueilli les artistes chassés de Manhattan (pour cause de loyers délirants) avant de devenir l'épicentre du cool. Au milieu, McCarren Park divise le "Burg" et Greenpoint : d'un côté, les Polonais et de l'autre, les juifs hassidiques, dans une ambiance postindustrielle néo-East Village.

Queens

18 • ASTORIA, LONG ISLAND CITY ET JACKSON HEIGHTS

De Long Island City, où le centre d'art contemporain PS1 brasse les foules les plus branchées du Queens, on passera à Astoria ou Jackson Heights pour retrouver l'essence du multiculturalisme new-yorkais. Communautés grecque, indienne ou hispanique y vivent dans le respect de leurs traditions respectives.

À lire pour tomber amoureux de la ville...

• *Washington Square*, Henry James, 1881
• *Le Temps de l'innocence (The Age of Innocence)*, Edith Wharton, 1920
• *Gatsby le Magnifique (The Great Gatsby)*, F. S. Fitzgerald, 1925
• *Manhattan Transfer*, John Dos Passos, 1925
• *L'Attrape-cœurs (The Catcher in the Rye)*, J. D. Salinger, 1951
• *Petit-déjeuner chez Tiffany (Breakfast at Tiffany's)*, Truman Capote, 1958
• *Last Exit to Brooklyn*, Hubert Selby, 1964
• *Great Jones Street*, Don DeLillo, 1973
• *Journal d'un oiseau de nuit (Bright Lights, Big City)*, Jay McInerney, 1984
• *Trilogie new-yorkaise : La Cité de verre, 1985 ; Revenants, 1988 ; La Chambre dérobée, 1988 (New York Trilogy)*, Paul Auster
• *Le Bûcher des vanités (The Bonfire of the Vanities)*, Tom Wolfe, 1987
• *American Psycho*, Bret Easton Ellis, 1991
• *Les Orphelins de Brooklyn (Motherless Brooklyn)*, Jonathan Lethem, 1999

... et à voir ou à revoir

• *Fatty à la fête (Coney Island)* de Roscoe Arbuckle avec Buster Keaton, 1917
• *King Kong* de Merian C. Cooper, 1933
• *Citizen Kane* d'Orson Welles, 1940
• *Le Lys de Brooklyn (A Tree Grows in Brooklyn)* d'Elia Kazan, 1945
• *All About Eve* de Joseph L. Mankiewicz, 1950
• *Fenêtre sur cour (Rear Window)* d'Alfred Hitchcock, 1954
• *Un Roi à New York (A King in New York)* de Charlie Chaplin, 1957
• *Diamants sur canapé (Breakfast at Tiffany's)* de Blake Edwards avec Audrey Hepburn, 1961
• *West Side Story* de Robert Wise et Jerome Robbins, 1961

• *Le Parrain (The Godfather)* de Francis Ford Coppola, 1972
• *Mean Streets* de Martin Scorsese avec Robert De Niro et Harvey Keitel, 1973
• *Marathon Man* de John Schlesinger avec Dustin Hoffman, 1975
• *Taxi Driver* de Martin Scorsese avec Robert De Niro, 1975
• *Annie Hall* de Woody Allen, 1977
• *New York, New York* de Martin Scorsese avec Robert De Niro et Liza Minnelli, 1977
• *Manhattan* de Woody Allen, 1979
• *SOS Fantômes (Ghostbusters)* d'Ivan Reitman avec Bill Murray et Sigourney Weaver, 1984
• *Recherche Susan désespérément (Desperately Seeking Susan)* de Susan Seidelman avec Madonna et Rosanna Arquette, 1985
• *Wall Street* d'Oliver Stone, 1987
• *Quand les femmes s'en mêlent (Working Girl)* de Mike Nichols avec Harrison Ford, Melanie Griffith et Sigourney Weaver, 1988
• *Do the Right Thing* de Spike Lee, 1989
• *Quand Harry rencontre Sally (When Harry meets Sally)* de Nora Ephron et Rob Reiner avec Billy Crystal et Meg Ryan, 1989
• *Bad Lieutenant* d'Abel Ferrara avec Harvey Keitel, 1992
• *Meurtre mystérieux à Manhattan (Manhattan Murder Mystery)* de Woody Allen, 1992
• *Dans la peau de John Malkovich (Being John Malkovich)* de Charlie Kaufman et Spike Jonze, 1998
• *Eyes Wide Shut* de Stanley Kubrick, 1996
• *Les Berkman se séparent (The Squid and the Whale)* de Noah Baumbach, 2004
• *Sex and the City : le film* de Candace Bushnell et Michael Patrick King, 2008

PARTIR

Formalités d'entrée
et réglementations douanières

En vertu du programme d'exemption de visa dont bénéficient les Français voyageant vers les États-Unis, vous devez être munis d'un passeport à lecture optique ou biométrique, valable pour une durée de six mois minimum après la date d'arrivée et d'un billet de retour. Ceux qui veulent vérifier la validité de leur passeport consulteront le site : http://french.france.usembassy.gov.

En sus de devoir laisser vos empreintes digitales et votre photo au comptoir de l'immigration à l'aéroport, **il faut également remplir une autorisation électronique de voyage au moins 72 h avant le départ, disponible sur le site : https ://esta.cbp.dhs.gov.**

Dans l'avion, il vous faudra aussi remplir un formulaire vert : Form I-94. Dûment complété, il sera tamponné à l'arrivée sur le sol américain et sera conservé par le service des douanes. Le douanier agrafera alors la partie inférieure de ce document à votre passeport : vous ne devrez surtout pas la perdre. Lors de votre départ, la compagnie aérienne se chargera de reprendre ce talon.

Il est rigoureusement interdit d'apporter des produits alimentaires non stérilisés aux États-Unis : oubliez notamment les fromages ou les charcuteries, car c'est *no* d'office ! Le fait d'être passé dans une ferme moins de 30 jours avant de mettre le pied sur le sol américain peut aussi être problématique...

En bateau...

Les cargos prennent bien encore quelques passagers peu pressés, mais le coût est à la mesure de la durée du trajet : il faut compter environ 100 $ la journée et au minimum quinze jours de traversée. Pour les phobiques de l'avion qui sont prêts à y mettre le prix, toutes les informations nécessaires sont disponibles sur les sites Internet des leaders du marché :

www.freighterworld.com/places/transatl.html

www.freightercruises.com

En avion

Il n'existe plus de lignes de charters reliant la France à New York, mais la concurrence est telle que les compagnies aériennes affichent régulièrement des tarifs dégriffés. Consultez leurs sites Internet. Attention, la plupart des vols discount réservés en ligne ne permettent ni modification ni annulation.

Par ailleurs, lorsque vous préparez vos bagages, pensez au fait que les liquides, gels, crèmes, etc., doivent de préférence être mis en soute. Si vous souhaitez les conserver avec vous en cabine, ils devront avoir une contenance inférieure à 100 ml et impérativement être mis dans des sachets en plastique avant de passer les contrôles de police.

Ne cadenassez jamais vos valises et vos sacs, car les verrous ou serrures seront systématiquement forcés et détruits.

En basse saison (hors période estivale et fêtes de fin d'année), il faut environ compter 300 € minimum pour un vol Paris-New York. On peut souvent réaliser de très bonnes affaires aux mois de janvier et février – période de soldes dans toute la ville – et, par la même occasion, admirer Central Park sous la neige.

Quelques compagnies aériennes à consulter

Air France

www.airfrance.fr • Réservations par téléphone : 0820 320 820
À partir de 400 € l'aller-retour

Les prix pratiqués ne sont pas nécessairement plus chers que ceux des autres compagnies aériennes si l'on s'y prend à l'avance. L'avantage de réserver directement auprès de la maison mère est de pouvoir s'assurer un billet échangeable et modifiable. Air France propose des vols directs de Nice à JFK. L'aéroport de Newark est également desservi. Suite à un partenariat, Delta Airlines effectue également une partie des vols.

Air India

www.airindia.com • Réservations par téléphone : 01 55 35 40 10
À partir de 350 € l'aller-retour

En transit de Delhi ou Mumbai, Air India propose des vols directs de Paris CDG à l'aéroport de Newark. Leur site Internet est difficile à manier et est exclusivement en anglais, mais une fois à bord, le service est irréprochable et le dépaysement assuré : repas indien à la clé.

American Airlines

www.americanairlines.fr • Réservations par téléphone : 01 55 17 43 41

Continental Airlines

www.continental.com • Réservations par téléphone : 01 71 23 03 35

Pour rejoindre le centre-ville

••• DEPUIS JFK INTERNATIONAL AIRPORT

www.jfkairport.com

Cet aéroport se situe à une vingtaine de kilomètres au sud-est de Manhattan, dans le Queens.

En métro et Airtrain

7,25 $ (Airtrain : 5 $ et métro : 2,25 $; gratuit pour les enfants de moins de 5 ans).

Pour les plus économes : suivre les panneaux Airtrain dans les terminaux jusqu'à la station de métro Howard Beach, puis emprunter la ligne A en direction de Manhattan. Le métro fonctionne toute la nuit. Voir plan de métro, sur le rabat.

En bus

12 $ à 15 $.

Pour les plus chargés : en face des terminaux, de l'autre côté de la voie, des bus partent toutes les 15 à 20 minutes jusqu'à minuit, à destination de Penn Station, Port Authority ou Grand Central Terminal dans Manhattan. Il existe également des bus vers Brooklyn. Renseignez-vous auprès du conducteur à l'arrêt de bus.

En taxi

45 $ (+ péages et pourboire de 10 à 20 %).

Pour ceux qui voyagent au moins à quatre et qui sont chargés : des files de taxis jaunes stationnent devant tous les terminaux à toutes les heures. Ils sont orchestrés par un chef de gare qui distribue des tickets et fait respecter l'ordre de la queue. Ne vous laissez pas alpaguer par les chauffeurs qui proposent leur service à la criée : ils sont plus chers et beaucoup moins sûrs.

••• DEPUIS NEWARK LIBERTY INTERNATIONAL AIRPORT
www.newarkairport.com

À l'ouest de Manhattan dans l'État du New Jersey, Newark se situe également à une vingtaine de kilomètres de Manhattan.

En train
15 $.

Suivre les panneaux "Monorail" puis "New Jersey Transit" jusqu'à la gare de Penn Station. Le monorail passe toutes les 3 minutes et le train toutes les 15 à 20 minutes. Le service est interrompu entre 2h et 5h du matin.

En bus
13 $.

Situés en face des terminaux, les bus desservent Port Authority, Grand Central et Penn Station. Ils partent toutes les 20 minutes de 6h à minuit et toutes les heures de minuit à 6h.

En taxi
50 $ à 60 $ (+ péages et pourboire de 10 à 20 %).

Les taxis sont bien sûr disponibles à toute heure. Cependant le montant de la course est beaucoup plus élevé que depuis l'aéroport de JFK, car il existe des lois régulant les taxis inter-États (du New Jersey à New York) et des péages.

SE DÉPLACER

À New York, les modes de transports sont variés : métro, bus, bateau, vélo, taxi ou téléphérique. On a l'embarras du choix. Les petits budgets privilégieront bus et métro de jour comme de nuit, mais les taxis restent abordables et très pratiques en soirée. Les ferries ou *water-taxis* permettront quant à eux de rejoindre Manhattan depuis Brooklyn (et vice-versa) à moindre frais, voire gratuitement, avec en prime une vue imprenable sur les buildings. Quant au survol de la ville en hélicoptère, ceux qui le jugeront (à raison) totalement prohibitif, lui préféreront le téléphérique au-dessus de l'East River.

Le MTA : métros et bus

Le Metropolitan Transportation Authority (MTA) – la société de transports en commun new-yorkais – reste le moyen le plus économique pour se déplacer dans New York. Le métro fonctionne 24h/24 et on peut l'emprunter de jour comme de nuit en toute confiance. Un nouveau plan du réseau vient de paraître, plus lisible et simplifié : voir sur le rabas et sur http://mta.info

La MetroCard

Pour se déplacer, un seul support : la **MetroCard**, un coupon magnétique à charger et recharger en fonction de vos besoins.

Un trajet à l'unité (*Pay per ride*) coûte 2,25 $.

Compter 8,25 $ pour le "1-Day Fun Pass" et 27 $ pour la "7-Days unlimited ride MetroCard", qui permettent un nombre de trajets illimité pendant respectivement 1 et 7 jours.

La MetroCard s'achète aux guichets ou aux distributeurs des stations de métro et dans certains kiosques à journaux. Elle peut être utilisée à la fois dans le métro et dans les bus.

Le métro

La plupart des stations de métro se divisent en deux sections desservant des destinations opposées avec des entrées séparées de chaque côté de la rue, par exemple : "Downtown & Brooklyn" et "Uptown & Queens". Une fois passé le portillon, en cas d'erreur de parcours, il faut ressortir de la station pour rejoindre sa destination.
Attention, les utilisateurs de la MetroCard illimitée devront patienter 18 minutes avant de pouvoir repartir dans la bonne direction.

BON À SAVOIR
Au niveau de certaines stations centrales, les lignes se scindent en trains *"express"* ou *"local"*, en général face à face sur la même voie. Le *local* s'arrête à toutes les stations, contrairement à l'*express* qui ne dessert que certains arrêts. Ces lignes sont signalées sur la carte et sur les panneaux au-dessus du quai. La ligne A par exemple, comme dans la chanson d'Ella Fitzgerald, est le moyen le plus rapide de rejoindre Harlem.

> *You must take the A train*
> *To go to Sugar Hill way up in Harlem*
> *If you miss the A train*
> *You'll find you missed the quickest way to Harlem*
> **Take the A Train**
> ELLA FITZGERALD

Vue imprenable !
Quelques lignes du métro passent au-dessus de la ville, entre Brooklyn et le Queens et proposent une vue aérienne des buildings pour le simple prix d'un trajet. La ligne 7 notamment, qui dessert le Queens et surplombe le fleuve à l'est de Midtown ; la ligne F, depuis ou vers Carrol Gardens ou Park Slope à Brooklyn, ainsi que la ligne J-M-Z qui emprunte le pont de Williamsburg.

Les bus

Ils parcourent en général les grands axes à la verticale ou à l'horizontale, suivant le quadrillage de la ville. Bien que plus lent, le bus est parfois plus pratique pour les déplacements est-ouest, axe assez mal desservi par le métro. Les lignes de Manhattan sont indiquées par la lettre M suivie d'un numéro, celles de Brooklyn par un B, et celles du Queens par un Q. Attention aux bus signalés "*Limited Stop*" qui ne s'arrêtent que tous les 10 *blocks* environ.
À Brooklyn, le bus est le meilleur moyen de se déplacer à l'intérieur de la ville, car la ligne de métro G, qui ne dessert que Brooklyn et le Queens, est si peu fiable que certains disent qu'elle fut nommée ainsi en référence à *God* (Dieu), l'invisible…

BON À SAVOIR
Les bus n'acceptent pas les billets de banque et sans MetroCard, il faut faire l'appoint, uniquement en pièces de monnaie.

En taxi

Les fameux taxis jaunes sont omniprésents dans Manhattan et il suffit de lever la main pour en arrêter un. Le taxi n'est pas un luxe inaccessible à New York et à plusieurs passagers (les taxis acceptent jusqu'à quatre personnes à bord), le prix d'une course intra-muros peut revenir au même prix que les transports en commun.

BON À SAVOIR
Les taxis sont libres lorsque la lumière du toit est allumée. Les lumières "Off-duty" indiquent qu'ils ont fini leur service.
La course est facturée au compteur et démarre à 2,50 $ avec une surcharge de 1 $ aux heures de pointe, entre 16h et 20h, et de 50 ¢ pour le tarif de nuit, de 20h à 6h. Attention : toujours compter un pourboire – entre 10 % et 20 % du prix de la course – au risque de s'attirer les foudres du chauffeur.

Brooklyn en limousine...

À Brooklyn, où les taxis sont moins faciles à repérer, il existe de nombreux services de limousines (*car-service*) qui pratiquent des tarifs équivalents à ceux des taxis. Comme ils n'ont pas de compteur, il est préférable de fixer un prix à l'avance pour éviter les mauvaises surprises ou les interminables discussions.

Toutes disponibles 7 jours/7 et 24h/24, ces voitures se déplacent facilement où que soit leur base dans Brooklyn. À titre indicatif, voici quelques adresses dans différents quartiers :

NORTHSIDE CAR SERVICE
207 Bedford Avenue, entre North 5th et North 6th • Williamsburg
Tél. 718-377-2222

ARECIBO CAR SERVICE
170 5th Avenue, entre Berkeley Place et Degraw Street • Park Slope
Tél. 718-783-6465

DUMBO
Promenade Car Services • 102 Front Street, entre Washington Street et Adams Street • Brooklyn Heights **• Tél. 718-858-6666**

À vélo

Les courageux et les sportifs trouveront un peu partout dans la ville des vélos à louer à l'heure ou à la journée. Toutefois, les pistes cyclables sont encore rares et parfois mal indiquées, tandis que les chaussées ressemblent souvent à des parcours de vélocross. La circulation effrénée – en particulier celle des taxis – impose la plus grande prudence dans le centre-ville, mais la nouvelle boucle au sud de Manhattan, spécialement aménagée, permet de profiter du paysage en se faisant les muscles au passage.
Compter 35 \$ la location pour 24 heures et environ 5 \$ de l'heure. Un petit supplément pour le casque obligatoire est à prévoir.

Pour plus de renseignements sur les pistes cyclables ou les parcours à vélo, consulter : www.bikenewyork.org • Tél. 212-932-2453 + 111

Bike Heaven
348 East Street, entre 1st et 2nd Avenues • **Upper East Side**
M° 4-5-6-N-R-W : Lexington Avenue/59th Street ; M° F : Lexington Avenue/63rd Street
Tél. 212-230-1919 • Du lundi au vendredi de 10h à 19h ; le week-end jusqu'à 17h

Manhattan Velo

141 East 17th Street, entre 3rd Avenue et Irving Place • **Union Square**
M° 4-5-6-L-N-Q-R-W : 14th Street/Union Square • www.manhattanvelo.com
Tél. 212-253-6788 • Tous les jours de 10h à 19h

Metro Bicycles

Cette chaîne compte sept magasins dans Manhattan, Brooklyn
et le Queens. Elle est à découvrir sur le site : www.metrobicycles.com
332 East 14th Street, entre 1st et 2nd Avenues • **East Village**
M° 4-5-6-L-N-Q-R-W : 14th Street/Union Square
Tél. 212-228-4344 • Du lundi au samedi de 10h à 18h, jusqu'à 17h le dimanche

Sur l'eau

Les *ferries* (sorte de bateaux-bus) et les *water-taxis* (des catamarans
très rapides, jaunes comme les *yellow cabs*) font la navette entre
Manhattan, le New Jersey, Staten Island, Brooklyn et le Queens. Ils
offrent une vue imprenable sur les gratte-ciel pour un prix souvent
imbattable.

Le Staten Island Ferry

Départ toutes les 30 minutes de Whitehall Terminal, 1 Whitehall Street
Lower Manhattan • M° 1 : South Ferry ; M° 4-5 : Bowling Green ; M° R-W : Whitehall
Street/South Ferry • http://www.nyc.gov/html/dot/html/ferrybus/statfery.shtml
Ce ferry mythique et entièrement gratuit dessert Staten Island, une
île située au sud-ouest de Manhattan. Pour cela, il longe tout Down-
town et la Statue de la Liberté en 25 minutes de traversée inoubliable.

Les ferries de New York Waterway

4 $/trajet • Renseignements : www.nywaterway.com • Tél. 800-533-3779

Ils partent toutes les 10 minutes de Midtown/West 39th Street, Pier 11/Wall Street, ou métro World Trade Center vers le New Jersey et le Yankees Stadium.

Le New York Water Taxi

Pier 11/Wall Street ; M° 2-3-4-5 : Wall Street • **Lower Manhattan**
Renseignements : www.nywatertaxi.com/commuters • Tél. 212-742-1969

Ce taxi fluvial à 3 $ le trajet dessert une dizaine d'arrêts à l'est ou à l'ouest de Manhattan vers la majorité des ports de Brooklyn et du Queens. Il relie Pier 11/Wall Street au Fulton Ferry Landing, auquel le célèbre Walt Whitman a consacré un poème.

> *On the ferry-boats the hundreds and hundreds that cross, returning home,*
> *are more curious to me than you suppose,*
> *And you that shall cross from shore to shore years hence are more to me, and more in my meditations, than you might suppose.*
>
> **Crossing Brooklyn Ferry**
> WALT WHITMAN

En téléphérique

Plus démocratique (et peut-être encore plus drôle) que le très touristique survol de la ville en hélicoptère, le téléphérique de Roosevelt Island, situé à l'angle de 59th Street et de 2nd Avenue (M° 4-5-6-N-R-W : Lexington Avenue/59th Street) survole l'East River tous les quarts d'heure. Il offre une vue imprenable sur Midtown pour seulement 4 $ l'aller/retour de 6h à 2h30. Un vrai bon plan ! Pour vérifier qu'il est bien en service, consulter le site : http://rioc.com

DORMIR

À New York, si les hôtels chics et chers abondent, il existe également des alternatives décalées, éventuellement dans des quartiers moins huppés, permettant de ne pas se ruiner. Qu'on se le dise, vous gagnerez en authenticité et en pouvoir d'achat ce que vous perdrez en confort : petits hôtels, chambres d'hôtes, résidences universitaires, ou encore sous-locations, voici une foule d'adresses.

Hébergement, mode d'emploi

- ch. : chambres
- 🛏 ♦ : chambre simple
- 🛏 ♦ ♦ : chambre double
- 🛏 ♦ ♦ ♦ : chambre triple (un lit double plus un lit jumeau)
- 🛏 ♦ ♦ ♦ ♦ : deux lits doubles
- SdB : salle de bains
- 🍽 : petit-déjeuner compris
- ⚙ : très bonne affaire
- ♥ : coup de cœur

Pour tous les lieux recensés ici, les tarifs s'entendent "à partir de" et sont indiqués hors taxes (il faut prévoir d'ajouter environ 13,5 % du montant indiqué à ces tarifs). Sauf indication contraire, la salle de bains se trouve dans la chambre et le prix ne comprend pas le petit-déjeuner. Attention, les prix indiqués peuvent changer en fonction des dates et de la durée de votre séjour.

Internet : une mine de bons plans

Des sites comme www.hotels.com ou www.travelbook.com (sélectionner New York City) proposent des prix intéressants sur des chambres d'hôtels de luxe. Réserver à l'avance est obligatoire pour s'assurer de la disponibilité d'une chambre et trouver le meilleur tarif.

Hôtels

Le prix d'une nuit d'hôtel à New York varie selon la saison, le jour, la durée du séjour, l'agenda culturel, la politique en vigueur, le programme télévisé et autres impondérables... Une estimation de tarif peut donc se révéler aussi fiable qu'une prévision météorologique à l'échelle d'une année entière.

Tout comme c'est le cas pour les vols, les chambres sont souvent bradées au mois de janvier et au début du mois de février. La période classée en très haute saison commence en revanche en septembre, après Labor Day et dure jusqu'au 31 décembre ; les suivantes se déroulent plus ou moins au printemps et en été.

La plupart des hôtels proposent un service de réception ouvert 24h/24 ainsi que la télévision câblée, le téléphone dans les chambres et un accès Internet, gratuit ou non. La sélection, déclinée du nord au sud de la ville, propose une gamme de prix variée selon le niveau de confort et selon le quartier, en privilégiant toujours les bonnes affaires.

BON À SAVOIR
La majorité des hôtels sont entièrement non-fumeurs et toute tentative de resquille est passible d'amende, voire d'une éviction pure et simple.

Les chaînes, pourquoi pas ?
Les chaînes comme Apple Core (rassemblant Comfort Inn, Ramada Inn, etc.), Howard Johnson, Best Western, Holiday Inn, Marriott et d'autres, ne figurent pas dans ce guide, bien que certaines proposent des tarifs compétitifs.

Hotel Newton

2528 Broadway, entre 94th et 95th Streets • **Upper West Side**
M° 1-2-3 : 96th Street • Tél. 212-678-6500 • www.thehotelnewton.com
105 ch. / 🛏 👤 👤 175 $ ou 105 $ (SdB dans le couloir)

Cet hôtel calme et tout confort au charme légèrement suranné est tout proche du campus de Columbia University. Il est situé dans un quartier résidentiel animé, à deux pas du métro express permettant de rejoindre Times Square en 10 minutes. Ici, rien n'est branché – dessus de lits fleuris, meubles en cerisier – mais les suites à prix modestes sont idéales pour ceux qui voyagent en famille. L'accès WiFi est gratuit et la plupart des chambres sont équipées d'un micro-ondes et d'un réfrigérateur.

Hotel Bentley

500 East en Street, à l'angle de York Avenue devant l'East River • **Upper East Side**
M° 4-5-6-N-R-W : Lexington Avenue/59th Street ; M° F : Lexington Avenue/63rd Street
Tél. 212-644-6000 • www.bentleyhotelnewyork.com • 197 ch. / 🛏 👤 👤 179 $

Le Bentley propose parfois des prix imbattables pour sa gamme de services et son standing, à condition de réserver à l'avance et sur le site Internet. Les chambres sont réparties sur vingt et un étages et font face à l'East River ou à 2nd Avenue. Celles avec vue ne coûtent pas plus cher, n'hésitez donc pas à demander une chambre à un étage élevé. Le bar panoramique au dernier étage vaut le détour, pour ceux qui choisiront de coucher ailleurs.

Dans le quartier... **Midtown Manhattan**

Washington Jefferson Hotel LLP
318 West 51st Street, entre 8th et 9th Avenues • **Midtown West**
M° C-E : 50th Street • Tél. 212-246-7550 • www.wjhotel.com
135 ch. / 🛏 ♦ 135 $; 🛏 ♦ 155 $

Entièrement refait à neuf, le Washington Jefferson est un des rares
hôtels tout confort situé près de Times Square à proposer des tarifs
abordables, particulièrement hors saison. La décoration, un peu
vieux jeu, n'est pas la carte maîtresse du lieu, mais les chambres sont
impeccables et les draps comme les serviettes d'une finesse irréprochable. Le concierge est remarquablement serviable et la gamme
de services, en général, du meilleur standing. Toutes les chambres
sont équipées d'une télévision et d'un accès WiFi gratuit. Une salle
de fitness est également ouverte 24h/24 et, au rez-de-chaussée, le
restaurant japonais est un must, remarqué par le critique gastronomique du *New York Times.*

Hotel 414 ♥
414 West 46th Street, entre 9th et 10th Avenues • **Times Square**
M° 1-2-3-7-N-Q-R-S-W : Times Square/42nd Street
Tél. 212-399-0006 • www.414hotel.com • 22 ch. / 🛏 ♦ 160 $ / 🚗

Ce petit hôtel, situé au cœur d'un quartier riche en restaurants,
est entièrement rénové. Moderne et discret, il présente l'avantage d'avoir des chambres avec vue sur une charmante cour
intérieure fleurie offrant un calme appréciable à quelques pas de
Times Square ; côté rue, elles font face à une église de quartier.
Toutes les chambres sont équipées d'une télévision à écran plat et
d'un accès gratuit à Internet. L'accueil y est aussi serviable qu'ai-
mable. Les exhalations de la Sullivan Street Bakery (533 West 47th
Street, entre 10th et 11th Avenues) juste à côté, aideront à se sortir du
lit pour le petit-déjeuner. Une adresse de choix. Le plus : quelques
chambres tolèrent les fumeurs.

Manhattan Broadway Hotel ⚜

273 West 38th Street, entre 7th et 8th Avenues • **Times Square**
M° 1-2-3-7-N-Q-R-S-W : Times Square/42nd Street
Tél. 212-921-9791 • www.nymbhotel.com • 43 ch. / 🛏 🛉 🛉 99 $

Idéalement situé entre Times Square et Madison Square Garden, cet hôtel aux services rudimentaires propose des tarifs défiant toute concurrence. Les chambres sont archikitsch et la réception moyennement avenante, mais les lits sont douillets et les salles de bains propres. On ne s'y attardera pas, mais comme personne ne vient à New York pour rester enfermé... Au rez-de-chaussée, un ordinateur offre un accès gratuit à Internet.

Gershwin Hotel

7 East 27th Street • **Flatiron District** • M° 6-N-R-W : 28th Street
Tél. 212-545-8000 • www.gershwinhotel.com • 150 ch. / 🛏 🛉 🛉 109 $;
🛏 🛉 🛉 🛉 et salon 239 $; dortoirs avec lits superposés
et SdB dans le couloir, 40 $ par personne

Cette adresse est une terre promise des amateurs de pop art : une authentique "Campbell's Soup" signée Andy Warhol trône dans le lobby. Chaque chambre est décorée dans un style unique et original. Plutôt plus chic que la moyenne pour le même prix, le service est irréprochable et le personnel accueillant. Des expositions temporaires d'artistes en résidence sont organisées toute l'année, conférant au lieu une atmosphère agréable et raffinée. À 10 minutes à pied de l'Empire State et du Flatiron Building, le quartier est commerçant la journée, tandis que Koreatown tout près promet des soirées animées.

Carlton Arms ✿

160 East 25th Street, à l'angle de 3rd Avenue • **Flatiron District**
M° 6 : 23rd Street • Tél. 212-679-0680 • www.carltonarms.com
54 ch. / 🛏 👤 80 $ la nuit et 500 $ la semaine (SdB dans le couloir)

Cet hôtel, squat d'artistes dans les années 1980, n'a rien perdu de son ambiance marginale, voire déjantée. Les couloirs et les chambres, toutes différentes, repeints par les soins des locataires, arborent des décors aussi hauts en couleur que les clients que l'on y croise. Le service est minimal : il n'y a ni télévision ni téléphone en chambre. Les petites chambres frôlent parfois le grunge, mais les salles de bains sont étonnamment propres. Son cadre atypique en fait une adresse idéale pour ceux qui cherchent une ambiance bohème dans un quartier central et pratique.

Chelsea Savoy Hotel ✿

204 West 23rd Street, à l'angle de 7th Avenue • **Chelsea**
M° 1-C-E-F : 23rd Street • Tél. 212-929-9353 • www.chelseasavoynyc.com
89 ch. / 🛏 👤 👤 99 $; 🛏 👤 👤 👤 👤 155 $ / 🖵

À ne pas confondre avec le fameux Hotel Chelsea rendu célèbre par la chanson de Bob Dylan (très mal entretenu et d'ailleurs peu recommandable depuis son rachat en 2008), le Chelsea Savoy compte parmi les hôtels les plus abordables de la ville avec ses chambres confortables, petites et simples et sa décoration sans prétention. À proximité des galeries d'art contemporain, ce point est central et bien desservi par les métros. La vie nocturne y est festive et l'ambiance *gay-friendly*. Le petit-déjeuner est servi de 7h30 à 11h au rez-de-chaussée. Le 5e étage est réservé aux fumeurs.

Hotel 17 💜

225 East 17th Street, entre 2nd et 3rd Avenues • **Gramercy Park**

M° 4-5-6-L-N-Q-R-W : 14th Street/Union Square ; M° L : 3rd Avenue

Tél. 212-475-2845 • www.hotel17ny.com • 120 ch. / 🛏 👤 👤 125 $

(SdB dans le couloir) ; 🛏 👤 👤 👤 185 $ (SdB dans le couloir)

Cadre d'une scène du film de Woody Allen *Meurtre mystérieux à Manhattan* (1992), cette maison de ville de sept étages a également accueilli Madonna avant qu'elle ne devienne la star que l'on connaît. Les chambres – petites et un peu sombres, décorées dans un style un peu vieillot – ne cachent pas leur vécu. Elles restent toutefois confortables et charmantes. Seules quatre chambres disposent d'une salle de bains privative. Tout près du parc de Gramercy, le plus chic de Manhattan, en face d'une cathédrale dans une rue calme et arborée, le cachet du lieu est un luxe en soi. Par les mêmes propriétaires, aux mêmes tarifs, en plus neuf et plus petit, voir aussi :

Hotel 31

120 East 31st Street, entre Park Avenue South et Lexington Avenue • **Midtown East**

M° 6 : 33rd Street • Tél. 212-685-3060 • www.hotel31.com

60 ch. / 🛏 👤 👤 125 $ (SdB dans le couloir) ;

🛏 👤 👤 👤 185 $ (SdB dans le couloir)

Dans le quartier... Downtown Manhattan

Larchmont Hotel ⚙

27 West 11th Street, entre 5th et 6th Avenues • **Greenwich Village**

M° 1 : Christopher Street/Sheridan Square ; M° F-V : 14th Street ;

M° L : 6th Avenue • Tél. 212-989-9333 • www.larchmonthotel.com

66 ch. / 🛏 👤 90 $ (SdB dans le couloir) ; 🛏 👤 👤 119 $

(SdB dans le couloir) ; 🛏 👤 👤 👤 👤 219 $ / 🖵

Dans une petite rue arborée, typique du quartier, le Larchmont a le charme désuet de l'ancien, situé au cœur d'un quartier riche en histoire. Meubles en rotin et couvre-lits bariolés donnent une allure champêtre aux chambres sans prétention. Il n'y a pas de salles de bains privatives, sauf dans la chambre familiale, souvent réservée longtemps à l'avance. Les tarifs augmentent les week-ends et jours fériés, mais restent raisonnables pour le service et pour le cadre.

The Jane Hotel

113 Jane Street, à l'angle de West Street • **West Village**
M° A-C-E-L : 14th Street/8th Avenue • Tél. 212-924-6700 • www.thejanenyc.com
150 ch. / 🛏 🛉 90 $ (avec un lit simple et SdB dans le couloir) ; 🛏 🛉🛉 125 $
(lits superposés et SdB dans le couloir) à 250 $ (Queen size avec SdB privée)
Ancien hôtel de marins, le Jane Hotel a rouvert ses portes en 2008 pour marquer le centenaire de l'édifice construit par l'architecte d'Ellis Island. En 1912, c'est là que les survivants du Titanic échouèrent et l'histoire du lieu, restauré avec flair, donne à ces chambres – grandes comme des couchettes de wagon-lit – un charme unique. Le bar est devenu en quelques mois un haut lieu de la nuit new-yorkaise branchée, ce qui pourra être pénible pour ceux qui espéraient se coucher tranquilles, mais grisant pour les personnes friandes de célébrités.

The Sohotel

341 Broome Street, à l'angle de Bowery • **Soho/Chinatown**
M° B-D : Grand Street ; M° J-M-Z : Bowery ; M° 6 : Spring Street
Tél. 212-226-1482 • www.thesohotel.com • 96 ch. / 🛏 🛉 139 $
À Soho, les anciens lofts d'artistes se sont transformés en résidences très chic. Le tout nouveau Sohotel est de très loin le meilleur rapport qualité-prix du coin. Avis aux amateurs de shopping et d'art contemporain : le New Museum a récemment rouvert sur le même trottoir, attirant à sa suite une kyrielle de galeries.

The Cosmopolitan Hotel

95 West Broadway, à l'angle de Chambers Street • **Tribeca**
M° 1-2-3-A-C : Chambers Street • Tél. 212-566-1900
www.cosmohotel.com • 125 ch. / 🛏 🚹 🚹 185 $

Tout au sud de la ville, très près de Wall Street, le Cosmopolitan est tout neuf, calme, agréable et abordable pour des services relativement haut de gamme. Derrière, les petites rues pavées allant vers le fleuve de l'Hudson font tout le charme du quartier. Onze chambres doubles sont installées sur deux étages avec un lit en mezzanine et un coin salon en bas. Toutes ont une salle de bains privative. Une bonne adresse pour ceux qui préféreront l'ambiance moins survoltée de Downtown, avec le confort moderne.

Bed & breakfasts

Plus conviviaux, souvent plus typiques et proposant des tarifs généralement plus avantageux que les hôtels, les B & B fleurissent dans toute la ville. Un plus : les prix des B & B fluctuent moins que ceux des hôtels. Attention, malgré leur nom, les B & B sont de moins en moins nombreux à proposer un petit-déjeuner à New York. Nous ne donnons la précision concernant le petit-déjeuner que dans le cas où il est prévu dans la prestation.

Pour plus d'adresses ou d'informations, une base de données des B & B à New York et des environs est disponible sur le site Internet : www.bedandbreakfast.com/new-york.html

Dans le quartier... Uptown Manhattan

The Harlem Flophouse

242 West 123rd Street, entre Adam Clayton Powell Blvd et Frederick Douglass Blvd
Harlem • M° A-B-C-D : 125th Street • Tél. 212-662-0678 • www.harlemflophouse.com
4 ch. / 🛏 👨 👨 125 à 175 $ (SdB dans le couloir) / 🚏

Installé à Harlem dans une maison de la fin du XIXe siècle (aussi appelée *brownstone*), ce lieu a non seulement conservé la décoration d'origine, mais aussi la mémoire des plus grands jazzmen qui y ont vécu. Chacune des quatre chambres porte le nom d'un musicien, avec deux salles de bains communes dotées de baignoires en fonte sur pieds... Tout y est charmant. Le propriétaire, René, est un spécialiste de musique afro-américaine et connaît les meilleures adresses où aller écouter du jazz ou du gospel. Une expérience unique et un dépaysement assuré, à un quart d'heure de métro du centre de Manhattan.

Bubba & Bean Lodges ⚙

1598 Lexington Avenue, entre 101st et 102nd Streets • **Upper East Side**
M° 6 : 103rd Street • Tél. 917-345-7914 • www.bblodges.com
12 ch. / 🛏 👨 👨 160 $; 🛏 👨 👨 👨 240 $ (ou 260 $ pour 6 personnes)
Tarifs dégressifs à la semaine et réductions de 10 % en hiver et 15 % au mois d'août

Un peu excentrés au nord-est de Manhattan dans un quartier résidentiel, ces petits appartements ou studios meublés sont tous équipés d'une cuisine et d'une salle de bains privatives. L'immeuble est moderne, simple et sans prétention et les chambres sont propres, calmes et fonctionnelles. Les propriétaires Jonathan et Clement – europhiles avoués – adorent leur métier et mettront autant d'empressement à vous conseiller des balades ou des restaurants.

Stay the Night 💜 ✪

18 East 93rd Street, entre 5th et Madison Avenues • 1er étage
Museum Mile/Upper East Side • M° 6 : 96th Street ; M° 4-5-6 : 86th Street
Tél. 212-722-8300 • www.staythenight.com
7 ch. / 🛏️ 👤 75 $ (SdB dans le couloir) / 🛏️ 👤 👤 150 $

À quelques pas du Guggenheim Museum, entre les deux avenues les plus chics de Manhattan, Stay the Night ("Passez la nuit ici" en français) est aussi accueillant que son nom l'annonce. Il se trouve au 1er étage d'un sublime immeuble couvert de lierre dans un quartier par ailleurs inabordable. Décorées avec charme, sobriété et discrétion, les chambres, très confortables restent étonnamment bon marché. La plupart sont spacieuses et si certaines ont l'avantage de disposer d'une terrasse privée, d'autres bénéficient d'une vue sur le jardin. Moulures, cheminées et escaliers en bois dans les parties communes complètent le cadre d'époque. Le petit-déjeuner n'est pas servi sur place, mais le quartier compense : au coin de la rue, Sarabeth's (1295 Madison Avenue, à l'angle de 92nd Street, voir p. 71) – surtout connue pour ses confitures – est l'une des pâtisseries les plus réputées de la ville.

Dans le quartier... **Midtown Manhattan**

Colonial House Inn 💜

318 West 22nd Street, entre 8th et 9th Avenues • **Chelsea**
M° C-E : 23rd Street • Tél. 212-243-9669 • www.colonialhouseinn.com
20 ch. / 🛏️ 👤 👤 180 $; 130 $ (SdB dans le couloir) / 📺

Ce charmant B & B installé dans un ancien *brownstone* (immeuble de pierre brune du XIXe siècle) est assorti d'une galerie d'art contemporain créée par Keith Haring. Trois des chambres avec salle de bains privative disposent aussi d'un petit coin salon et d'une cheminée qui fonctionne en hiver. En été, une terrasse sur le toit permet de profiter du soleil. Le personnel est aussi sympathique que serviable. La cuisine commune au rez-de-chaussée est équipée d'un téléviseur grand écran permettant de se disputer entre colocataires le choix de la chaîne à visionner parmi les 400 disponibles.

Dans le quartier... **Downtown Manhattan**

Abingdon Guest House

21 8th Avenue, entre West 12th Street et Jane Street • **West Village**

M° A-C-E : 8th Street • Tél. 212-243-5384 • www.abingdonguesthouse.com

9 ch. / 🛏 ♦ ♦ 189 à 305 \$; possibilité d'ajouter un lit d'appoint pour 25 \$ / 🖵

Au cœur du West Village, à l'angle d'une rue pavée bordée d'arbres, cette petite maison d'époque est confortable et charmante. Les chambres coquettes à la literie douillette sont toutes dotées d'une salle de bains (avec peignoirs et sèche-cheveux) et sont équipées de téléviseurs écran plat, d'un téléphone avec messagerie et d'un accès gratuit à Internet. La clientèle y vient pour le calme et pour le cadre. Restaurants et cafés foisonnent à quelques pas, notamment juste en face à La Bonbonniere qui propose l'un des meilleurs brunchs de New York, à tout petit prix (voir p. 82).

East Village Bed and Coffee ✿

110 Avenue C, entre 7th et 8th Streets • **East Village**

M° L : 1st Avenue ; M° F-V : 2nd Avenue/Lower East Side ; M° 6 : Astor Place ;

M° F-J-M-Z : Essex-Delancey Streets • Tél. 917-816-0071 • www.bedandcoffee.com

10 ch. / 🛏 ♦ ♦ 110 à 140 \$ (SdB dans le couloir)

Une ambiance communautaire rappelant un peu celle des campus universitaires règne dans ce grand loft d'Alphabet City, réparti sur deux étages et divisé en dix chambres. À l'extrême est de l'East Village, ce quartier est quadrillé de A à D autour du parc de Tompkins Square. Il faisait d'ailleurs l'objet d'un adage avant que les fumeurs de crack et autres défoncés ne fassent place nette (contraints et forcés par la police armée) : A – *All right* ("Ça va") ; B – *Beware* ("Fais gaffe") ; C – *You cry* ("Tu pleures") ; D – *You die* ("Tu meurs"). À présent, l'avenue C pourrait être rebaptisée l'avenue Cool : il n'y a absolument rien à craindre, si ce n'est une petite gueule de bois pour ceux qui se laisseront tenter par la pléthore de bars et de clubs à proximité. Les chambres de Bed and Coffee sont confortables et bien aménagées et l'accès WiFi est proposé en illimité. Le métro le plus proche se trouve à 10 minutes à pied, mais deux bus (M21, M14) très pratiques s'arrêtent juste devant à intervalles réguliers. Un plus : le jardin à côté est signé Kiki Smith.

Room in Soho Loft 🤍

153 Lafayette Street, à l'angle de Grand Street • Soho
M° 6-J-M-N-Q-R-W-Z : Canal Street • Tél. 646-613-1143
Réservations uniquement par mail : roominsoho@mac.com
www.livingwithartusa.com • 4 ch. / 🛏 👨 👨 180 à 280 $
Paiement uniquement par Paypal. Les cartes de crédit ne sont pas acceptées sur place
Cette adresse insolite contiguë à une galerie d'art contemporain propose des chambres au milieu d'un grand loft, aux 5e et 7e étages (sans ascenseur !) d'un ancien immeuble industriel. Monte-charge, murs en briques, poutres apparentes et salle de bains en béton brossé : on ne trouvera pas plus authentique dans ce registre. En plein Soho (comme le nom l'indique) à moins d'être dans les coulisses d'un défilé, on ne pourrait pas être plus au cœur de l'action. Les chambres sont un peu bruyantes, mais l'une d'entre elles offre une vue sur les gratte-ciel. On est invité à faire son propre petit-déjeuner dans la cuisine commune, sinon la pâtisserie Ceci-Cela (55 Spring Street, entre Lafayette et Mulberry Streets) ou Eileen's Cheesecake (17 Cleveland Place au coin de Kenmare Street) feront très bien l'affaire. Le propriétaire, d'origine française, tient la galerie et accueille les locataires de 8h à 17h30.

Dans le quartier... **Brooklyn**

Awesome Bed & breakfast ☺

136 Lawrence Street • Boerum Hill • M° M-R : Lawrence Street ;
M° A-C-F : Jay Street/Borough Hall ; M° 2-3 : Hoyt Street
Tél. 718-858-4859 ou 646-369-7272 • www.awesome-bed-and-breakfast.com
6 ch. / 🛏 ♦ ♦ 140 $ (SdB dans le couloir) ; 🛏 ♦ ♦ ♦ 170 $
(SdB dans le couloir) / 💻

Au pied du Brooklyn Bridge, Awesome B & B (à traduire en français par : "dément, génial, trop top...") propose de petites chambres
sans prétention décorées de tissus africains et affublées de noms
improbables comme *Sun on the Beach*, *Gothic Nights* ou *Ancient
Madagascar*. À une ou deux stations de métro de Manhattan, le
quartier est populaire et brasse des foules du monde entier. En face,
le Fulton Street Mall vend de tout – de l'électronique aux vêtements
en passant par l'alimentaire – à des prix extrêmement abordables.

Union Street Bed & Breakfast

405 Union Street, entre Smith et Hoyt Streets • Carroll Gardens
M° F-G : Carroll Street • Tél. 718-852-8406 • www.unionstbrooklynbandb.com
7 ch. / 🛏 ♦ 110 $ (SdB dans le couloir) ; 🛏 ♦ 140 $ (SdB dans le couloir) / 💻

Pour dormir dans l'une des charmantes petites chambres de cette
demeure historique, élégante et très bien tenue, il faut réserver à
l'avance. Chacune d'elles porte un nom de fleur et l'ambiance y
est bucolique. Les escaliers comme l'architecture intérieure sont
d'époque et décorés avec un goût sûr. Si le petit-déjeuner n'est pas
servi sur place, les propriétaires distribuent des bons pour un café
et un croissant dans un bistro français situé à deux pas...

The Sofia Inn ⚙

288 Park Place, entre Vanderbilt et Underhill Avenues • **Park Slope**
M° 2-3 : Grand Army Plaza ; M° B-Q : 7th Avenue • Tél. 917-865-7428
www.brooklynbedandbreakfast.net • 6 ch. / 🛏 ♦ ♦ 135 $
(SdB dans le couloir) ; 🛏 ♦ ♦ ♦ ♦ 195 à 215 $ plus 25 $ par personne

À quelques rues de Prospect Park, du jardin botanique et de la
grande bibliothèque, cette maison ancienne propose des chambres
avec une salle de bains commune à l'étage ; ou des appartements
de deux à trois pièces disposant d'une cuisine indépendante, d'une
salle de bains privative et d'une entrée séparée au rez-de-chaussée.
Les meubles en bois foncé sont discrets et les tarifs abordables pour
un séjour prolongé. Quartier général des jeunes couples aisés avec
enfants, Park Slope est idéal pour les familles. Tout proche de nombreux restaurants, cinémas, musées, club de jazz, cafés, on peut très
facilement y oublier Manhattan même si Times Square se trouve à
20 minutes en métro.

Spencer Place Bed & Breakfast ⚙

15 Spencer Place, à l'angle de Hancock Street • **Clinton Hill/Bedford-Stuyvesant**
M° C-S : Franklin Avenue ; M° A-C : Nostrand Avenue • Tél. 718-360-9227
www.spencerplacebedandbreakfast.com • 5 ch. / 🛏 ♦ 75 à 100 $
(SdB dans le couloir) ; 🛏 ♦ ♦ 140 à 160 $ / 🚇

Au cœur de Bedford-Stuyvesant (aussi appelé "Bed-Stuy"), où jamais
touriste n'aurait osé s'aventurer il y a peu, ce *brownstone* plein de
charme et parfaitement entretenu propose des chambres à petit
prix dans un cadre historique authentique. Dans ce quartier à l'architecture classique du XIXe siècle, en majorité hispanique et afro-
américain, on commence lentement à accueillir les bobos ravis de

traîner dans toutes sortes de magasins et de marchés dits ethniques. Deux des cinq chambres sont riquiqui, mais la salle de bains située au même étage est propre et les parties communes, où le petit-déjeuner est servi, sont élégantes et agréables. Une autre chambre avec salle de bains est nettement plus spacieuse pour un prix raisonnable. Un ordinateur avec accès Internet est à la disposition des clients. La ligne A (express) qui se trouve à 10 minutes à pied permet de rejoindre le centre de Manhattan en 20 minutes. Cependant, la nuit, mieux vaut rentrer en taxi...

Dans le quartier... **Staten Island**

The Harbour House ✦

1 Hyland Boulevard, à une rue à l'est de Bay Street
Bus S-51, arrêt : Hylan et Bay Street • Tél. 718-876-0056
http://www.nyharborhouse.com • 11 ch. / 🛏 ♦ ♦ à 120 $ ou 89 $
(SdB dans le couloir) ; suite avec cuisine et vue 130 à 150 $ / 🖵

Les pieds dans l'eau, cette ancienne maison de style colonial propose des chambres spacieuses et chaleureuses avec vue sur la pointe sud de Manhattan, sur la Statue de la Liberté ; la nuit, sur les lumières du pont de Verrazano vers Brooklyn qui se réfléchissent dans la baie. Un décor idyllique – les levers et couchers de soleil y sont magiques – au calme introuvable à Manhattan, avec en prime une terrasse ensoleillée pour les belles journées. Attention, apportez une serviette de bains ou vous devrez en louer une à 5 $ pour la durée de votre séjour. Inconvénient majeur, il faut compter une bonne heure de trajet pour rejoindre le centre de Manhattan. Les plus : le bus pratique des tarifs dégressifs à la semaine et le ferry circulant jour et nuit est gratuit.

YMCA et pensions

À condition de faire fi du service, du confort et/ou de l'intimité, on peut trouver de quoi se loger à tous les âges ou presque, même dans des quartiers réputés inabordables. Certaines auberges de jeunesse offrent même des salles de sport grand luxe, parfois utiles pour se relaxer après une rude journée d'exploration.

À consulter : le site www.hostelworld.com, qui offre des réductions importantes dans toutes les auberges de jeunesse, sous certaines conditions (ni modification ni annulation et commission équivalente à 10 % du montant total).

Attention, le paiement par carte de crédit est rarement accepté dans ce genre d'institution : assurez-vous donc d'avoir la somme en liquide ou des *Traveller's checks* pour le règlement.

Dans le quartier... Uptown Manhattan

The Claude McKay Residence & Guest Rooms (YMCA) ✪
180 West 135th Street, entre Adam Clayton Powell et Lenox Avenue • **Harlem**
M° 2-3 : 135th Street • Tél. 212-281-4100 + 210 • www.ymcanyc.org/harlem
235 ch. / 🛏 🕴 75 $; 🛏 🕴 🕴 (lits superposés) 100 $ (SdB dans le couloir)
Dans une rue animée au cœur de Harlem, ce YMCA propose en plus du confort moderne des chambres (mixtes), une piscine chauffée, une salle de sport et une salle de lecture. La réception est ouverte 24h/24 et le petit-déjeuner est servi dans la cafétéria.

Virginia House Youth Hostel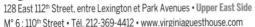

128 East 112th Street, entre Lexington et Park Avenues • **Upper East Side**
M° 6 : 110th Street • Tél. 212-369-4412 • www.virginiaguesthouse.com
65 ch. / 🛏 ♦ 50 $; 🛏 ♦ ♦ 75 $ (douches dans le couloir) / 💻

Propre et sobre, cette auberge de jeunesse est installée dans un quartier résidentiel calme, tout proche du métro permettant d'accéder directement aux musées de la 5th Avenue et à Soho. Si la cafétéria ressemble à une cantine d'école et si les couloirs évoquent les locaux d'une colonie de vacances, il faut cependant être majeur pour y être admis (même accompagnés, les enfants ne sont pas acceptés). La réception est ouverte 24h/24 et un accès WiFi est accessible gratuitement.

YMCA

5 West 63rd Street, entre Central Park West et Columbus Avenue • **Upper West Side**
M° 1 : 66th Street/Lincoln Center • Tél. 212-875-4100 • www.ymcanyc.org/westside
350 ch. / 🛏 ♦ 92 $; 🛏 ♦ ♦ (lits superposés) 152 $ ou 102 $
(SdB dans le couloir)

Face à Central Park et à deux pas des grands théâtres du Lincoln Center, ce YMCA affiche des prix un peu au-dessus de la moyenne pour sa gamme. Ils s'expliquent facilement par sa situation géographique. Les chambres, toutes mixtes, et réparties sur six étages sont petites, mais propres et modernes. Certaines, au 13e étage, offrent une vue sur le parc : un luxe inabordable dans les autres hôtels !

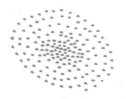

Dans le quartier... **Midtown Manhattan**

1291 International Hostel
337 West 55th Street, entre 8th et 9th Avenues • **Midtown West**
M° 1-A-B-C-D : 59th Street/Columbus Circle • Tél. 212-397-9686
www.1291.com • 35 ch. / 🛏 👤 👤 175 à 190 $ (SdB dans le couloir) ;
Dortoirs de 6 : 65 $, taxes comprises / 🔲

Fondée par Roland Solenthaler, un ancien chef suisse, cette auberge accueille les jeunes voyageurs du monde entier depuis plus de vingt ans. Entre Central Park et Times Square, en plein cœur de la ville, le quartier est dangereusement truffé d'attrape-touristes, mais c'est la règle du marché. Les chambres du 1291 sont modestes, la déco y est discrète et l'ambiance communautaire. Quelques appartements privés peuvent accueillir jusqu'à neuf personnes. Un accès en WiFi est en vente à 10 $ la journée.

The Leo House ✿
332 West 23rd Street, entre 8th et 9th Avenues • **Chelsea**
M° C-E : 23rd Street • Tél. 212-929-1010 • Réservations uniquement
par téléphone ou par fax • 18 ch. / 🛏 👤 👤 140 à 160 $ ou 70 à 100 $
(SdB dans le couloir) / 🔲

Petite pension tenue par des bonnes sœurs, ce gîte catholique était particulièrement prisé quand il était difficile de se loger sans danger dans le quartier. Ce n'est plus le cas, mais Leo House offre toujours des couches certes spartiates, mais d'une propreté enviable et dans un cadre très agréable. Quand le temps le permet, le petit-déjeuner est servi dans le jardin. Les sœurs ne font aucun prosélytisme : toutes les chambres sont mixtes et si la porte se ferme à minuit, ce n'est pas un couvre-feu puisqu'un gardien ouvre aimablement aux retardataires, sans faire de commentaire.

Dans le quartier... Downtown Manhattan

Village Inn Hostel ○

27 East 7th Street, entre 2nd et 3rd Avenues • **East Village**
M° 6 : Astor Place • Tél. 212-228-0828 • www.villageinnhostel.com
9 ch. / dortoirs de 6 : 40 $ par personne (SdB dans le couloir), taxes comprises / ⟲

Cette auberge de jeunesse inaugurée en 2008 propose des lits à tout petit prix pour les étudiants qui n'ont pas peur de la promiscuité, car même en voyageant à plusieurs, on n'est pas assurés d'avoir des lits dans la même chambrée. Des *lockers* (casiers) sont à disposition, mais chacun doit apporter son propre cadenas. Le jeudi soir, la pizza est gratuite pour tout le monde.

Whitehouse Hotel ○

340 Bowery, entre Great Jones (3rd Street) et 2nd Street • **Noho**
M° 6 : Astor Place/Bleecker Street ; M° B-D-F-V : Broadway/Lafayette
Tél. 212-477-5623 • www.whitehousehotelofny.com
200 ch. / 🛏 ♟ 30 $; 🛏 ♟ ♟ 55 $; 🛏 ♟ ♟ 70 à 82 $ (SdB dans le couloir)

Vestige de l'ancien Bowery – l'avenue coupe-gorge par excellence – cette pension décalée et sévèrement déglinguée semble avoir ignoré les changements du quartier. À deux pas de feu CBGB – lieu culte du rock alternatif qui accueillit en son temps PJ Harvey, les Ramones, les Talking Heads, et bien d'autres – l'avenue est maintenant aussi chic que branchée. Dans de toutes petites chambres ultra-rudimentaires, mais (plutôt) propres, le Whitehouse accueille les plus fauchés dans la bonne humeur.

Sun Bright Hotel

140 Hester Street, entre Bowery et Elizabeth Street • **Chinatown**

M° B-D : Grand Street ; M° 6-J-M-N-Q-R-W-Z : Canal Street

Tél. 212-226-7070 • www.sunbrighthotel.com • 300 ch. / 🛏 🕴 🕴 55 $

(SdB dans le couloir) ; 🛏 🕴 🕴 80 $ (SdB dans le couloir)

Dans ce grand immeuble en plein cœur de Chinatown, seules les chambres situées au 1er étage sont accessibles aux couples ou aux femmes. Au-dessus, elles sont réservées aux travailleurs chinois et on ne vous laissera même pas monter pour voir : "*No good*", disent-ils à la réception, derrière une cage en verre. Le service est minimal, l'anglais du personnel approximatif, les chambres minuscules et la salle de bains dans le couloir, mais le linge y est propre et les tarifs pratiqués sont extraordinairement démocratiques. Une ambiance populaire et un dépaysement assurés.

Dans le quartier... Brooklyn

Zip 112 ⚙

112 North 6th Street, entre Berry et Wythe Avenues • **Williamsburg**

M° L : Bedford Avenue • Tél. 718-388-7495 • www.zip112.com

3 ch. / dortoirs 4 lits superposés pour filles : 45 à 55 $;

🛏 🕴 🕴 lits jumeaux 65 $ par personne (SdB dans le couloir)

Cette toute petite auberge de jeunesse – tenue par une graphiste coréenne dans le quartier le plus branché de New York –, propose deux dortoirs (pour filles uniquement) et une chambre au 5e et dernier étage d'un immeuble résidentiel (sans ascenseur). Destinée à une clientèle étudiante sensible à l'esthétique design, Zip 112 est un peu comme un *boutique hotel* sans le service et à moindre frais. Terrasse, cuisine commune tout équipée et deux salles de bains à se partager à dix quand les chambres sont au complet. Cette auberge se trouve à 10 minutes en métro de Downtown Manhattan, sur la ligne L.

DORMIR | NEW YORK | 59

YMCA Greenpoint ⚙

99 Meserole Avenue, entre Lorimer Street et Manhattan Avenue • **Greenpoint**
M° G : Nassau Avenue ; M° L : Lorimer Street
Tél. 718-389-3700 • www.ymcanyc.org/greenpoint
100 ch. / 🛏 👤 48 $; 🛏 👤 👤 79 $ (SdB dans le couloir) / 📺

Entre Williamsburg (la capitale du cool) et Long Island City (le centre d'art contemporain à l'ambiance industrielle offrant une vue sur les gratte-ciel), à 15 minutes de Manhattan en métro, ce YMCA dispose d'une piscine, d'une salle de gym et propose des cours de yoga. Il est recommandé aux sportifs qui ne craindront pas de grimper aux 4e et 5e étages sans ascenseur. Les chambres sont toutes petites (la "deluxe" n'en a que le nom) et pas spécialement charmantes, mais elles ont l'avantage d'être privées. Les tarifs sont dégressifs à la semaine et le petit-déjeuner est copieux.

Sous-locations et échanges d'appartements

Que ce soit pour un week-end, pour une semaine ou pour un mois, on peut échanger son appartement, sous-louer une chambre chez l'habitant ou trouver un logement dans son quartier de prédilection avec des combines de toutes sortes. Ci-dessous, quelques sites Internet ou des agences avec leur mode d'emploi. Certainement – et de loin – le moyen le plus sympa de vivre New York !

Craig's list

www.craigslist.org

Ce site entièrement gratuit et sans inscription est le plus populaire. Il est rédigé directement par les utilisateurs sans discrimination. On peut y connaître de mauvaises surprises comme y faire de très bonnes affaires. Autant que possible, mieux vaut engager une correspondance avec les annonceurs et demander des photos. Les règles sont fixées au cas par cas : paiement au départ ou à l'arrivée, caution, remise des clés, échanges ou locations, c'est selon. Le mieux est donc de rédiger une lettre-accord pour être sûr de s'entendre.

Le Village Voice

www.villagevoice.com/classifieds

Ce site est une banque d'annonces de l'hebdomadaire gratuit *The Village Voice*. Avec les mêmes critères que Craig's list, on y trouve de tout : colocation, sous-location ou échange.

Roomorama

www.roomorama.com

Tout nouveau venu sur le marché de la colocation, ce site permet de trouver des chambres à court terme dans des appartements situés dans le quartier de son choix.

Urban Living

www.urbanliving.net

Les agences qui procèdent à une sélection préliminaire sont plus fiables, mais aussi plus chères. Urban Living est une des plus sérieuses et propose des appartements partout dans la ville, pour des frais raisonnables. On choisit son appartement sur photos en ligne, puis l'agence met les sous-locataires potentiels en contact avec le propriétaire pour régler tous les détails pratiques. Contrairement aux sites sans intermédiaire, aucun danger de perdre sa réservation au dernier moment : les propriétaires sont tenus de livrer leur appartement aux dates fixées à l'avance, au risque de rembourser l'agence.

Homexchange Vacation

www.homexchangevacation.com

Ce site fonctionne sur abonnement et permet d'échanger son appartement avec un autre appartement situé n'importe où dans le monde et aux dates de son choix. L'inscription gratuite autorise seulement une annonce très laconique ; avec une inscription complète (*"full membership"*), on peut mettre à jour son annonce et recevoir des messages réguliers sur les locations intéressantes, environ 26 $ par trimestre (tarif de novembre 2010).

Roots Travel

www.rootstravel.com

Envie de séjourner dans un loft d'artiste à Manhattan ? C'est possible en passant par Roots Travel, une agence de voyage basée à Paris et spécialisée dans les voyages et séjours chez l'habitant. Vous choisissez votre quartier et le mode d'hébergement que vous souhaitez : en studio ou en appartement indépendant ; puis Roots Travel s'occupe de vous dénicher un lieu authentique ou insolite. Le dépaysement est assuré.

MANGER

Pour donner une idée de la passion des New-Yorkais pour la cuisine – de tout type, de toute origine et à n'importe quelle heure, il faudrait renverser le célèbre adage de *L'Avare*, car on dirait souvent qu'on y vit pour manger. Des *diners* aux restaurants gastronomiques en passant par l'incontournable *slice* de pizza, que l'on suive un régime *vegan*, halal, casher, sans sel, sans blé, fusion ou bio, tous les palais trouveront de quoi s'extasier.

On peut se nourrir pour si peu cher à New York que les tarifs donneraient presque des raisons de s'inquiéter. De plus, les portions dans les restaurants sont parfois si gargantuesques que les serveurs proposent très aimablement au client rassasié d'emballer les restes, pour son quatre-heures ou sa petite fringale d'insomniaque. Le *doggy bag* n'est pas fait que pour les chiens !

Tip, please !

Un *tip* signifie en anglais à la fois un pourboire et un conseil. Ici, les deux sens se valent, à savoir : ne jamais quitter la table sans verser un bon pourboire, c'est-à-dire 15 à 20 % de l'addition. Les Français ont très mauvaise réputation à cet égard, n'ayant pas l'habitude de cette pratique. Le calcul le plus rapide et efficace est de doubler la taxe (8,65 %) mentionnée au bas de la facture.

BON À SAVOIR

Entrée en anglais signifie plat principal, tandis que l'*appetizer* désigne l'entrée à la française... Ne vous étonnez donc pas, le menu n'est pas inversé !

Petit mode d'emploi des restos new-yorkais :

CAFÉS, DELICATESSENS ET BAGELS SUR LE POUCE ET À EMPORTER

À New York, on boit son café dans une tasse en carton en courant dans la rue, de préférence avec beaucoup de lait, pour ne pas risquer de s'ébouillanter. Quand elle n'est pas signée Starbucks, la tasse est souvent bleue et blanche, décorée d'une inscription en lettres helléniques – *"We are happy to serve you"* – et d'urnes néo-antiques dessinées de chaque côté. On doit cette insolite typo des sixties aux immigrés grecs qui importèrent non seulement la culture du café aux États-Unis, mais aussi les roulottes à café, bagels, et autres *breakfasteries* à emporter que l'on trouve sur tous les trottoirs new-yorkais.

Comment commander son café à New York ?

Le *regular coffee* est généralement servi avec du lait. Attention, commandez-le *black* ou *without milk* pour ne pas vous retrouver avec du lait aromatisé au café. L'**expresso** désigne le même café qu'en français, à ne pas confondre avec un *coffee* qui est un café filtre. Le **café au lait** ou **caffe latte** est un double expresso avec du lait chaud, différent du cappuccino qui contient moins de lait et de la mousse en plus. En été, le **café glacé** – un *regular coffee* servi dans un verre plein de glaçons – devient la boisson préférée des New-Yorkais, au point qu'il devient nécessaire de préciser si l'on veut son café chaud. Si tout cela semble compliqué, ce n'est pas qu'une impression, ça l'est !

LES HOT-DOGS

On les trouve partout, dans des roulottes qui vadrouillent de jour comme de nuit. La saucisse est toujours faite de bœuf casher et assortie de choucroute, d'oignons confits et de ketchup ou de moutarde. L'avaler en marchant ou debout au coin de la rue demande une agilité mandibulaire et un savoir-faire tel que les maladroits ou simplement les novices réclameront une douzaine de serviettes en papier avant d'entamer la première bouchée.

LA TRADITION DU BRUNCH

Le brunch du dimanche est la version laïque de la messe pour le New-Yorkais type : on ne le ratera sous aucun prétexte, sous peine d'excommunication. De fait, il faut avoir la foi pour y participer. On peut attendre une table pendant une heure, voire deux dans les restaurants les plus prisés, ce que le serveur annonce, stylo en main, prêt à noter les noms sur sa liste d'attente. Inutile de préciser qu'il est impossible de réserver. Au menu, cocktails pour jouer les prolongations d'un samedi soir bien arrosé, *pancakes*, *French toast* et œufs avec choix de la cuisson. Attention au foie...

> ### Petit glossaire du brunch
> **Eggs Benedict** : œufs pochés sur un toast d'*English muffin* (le pain anglais) et une tranche de lard fumé.
> **French toast** : pain perdu.
> **Grits** : maïs concassé bouilli dans de l'eau ou du lait, une préparation typiquement sudiste héritée des Indiens d'Amérique.
> **Homefries** : grosses pommes de terre sautées aux oignons.
> **Pancakes** : crêpes épaisses.
> **Waffles** : gaufres.

LA *SLICE* DE PIZZA

Dans le lexique gastronomique new-yorkais, la *slice* compte parmi les expressions à connaître impérativement. Pour 2 $ en moyenne, la part de pizza (*slice*) – achetée au delicatessen, dans un stand, ou à la pizzeria – se mange dans la rue à n'importe quelle heure, entre les repas, ou au retour d'une fête. Il est impossible de faire plus de 50 mètres sans en trouver. L'authentique pizza new-yorkaise, cuite dans un four en brique au charbon de bois, importée par les Italiens, a été réinventée pour le public américain : elle est faite d'une pâte plutôt épaisse au goût légèrement fumé. Comme pour les burgers, les New-Yorkais peuvent passer des heures à débattre de qui détient la palme d'or de la pizza. Nous présentons ici une sélection partiale et plus que partielle (il y aurait plus de 5 600 pizzerias dans New York) des meilleures adresses pour consommer sur place ou emporter une *slice*.

LE RITUEL DU BURGER

Spécialité américaine par excellence, le "hamburger" serait né au milieu du XIXe siècle, quand la viande arrivait à New York en provenance des ports d'Allemagne – alors les plus grands d'Europe. Pour encourager les marins germaniques à s'installer sur le nouveau continent, des stands proposaient des sandwichs de steak haché préparés à la mode de Hambourg. Certains historiens affirment que le burger tel qu'on le connaît apparut pour la première fois sur le menu du restaurant Delmonico's, Downtown Manhattan, en 1834, pour 10 ¢... Si les tarifs ont augmenté depuis, le hamburger reste le rapport calorie-prix le plus compétitif. Un véritable rituel new-yorkais, à célébrer dans les temples qui suivent...

LES *"24-HOURS"* OU *"DINERS"* À L'ANCIENNE

Malgré les transformations de la ville et l'inflation, il existe encore des *diners* à l'ancienne à New York. Des vrais avec les tables en formica, des serveuses au chignon décoloré, des *cheesecakes* en vitrine et le café filtre à volonté. Ils servent des burgers, des œufs, des *pancakes* et autres plats traditionnels pour des sommes, malheureusement, plus si dérisoires, mais toujours 24h/24.

STEAKHOUSES : LES INCONTOURNABLES

On y mange uniquement de la viande et dans des quantités ahuris-
santes : c'est l'expérience new-yorkaise par excellence, inimitable,
incontournable – pour ceux que la vue du sang ne fera pas tourner
de l'œil et qui seront prêts à sacrifier leur budget shopping pour
une pièce de bœuf. Le *porterhouse*, la coupe classique, est un genre
de T-Bone pour deux personnes minimum, soit un kilo de viande
au bas mot. Autant dire qu'il vaut mieux avoir un bon coup de
fourchette. Deux des meilleures adresses de New York figurent en
pages 78 et 98.

LES RESTAURANTS VÉGÉTARIENS

À New York, les végétariens n'auront pas de mal à se nourrir : tous
les restaurants proposent au moins un plat de légumes, et même les
bars à burgers accommodent pour les phobiques de la viande des
burgers de soja, une alternative au fromage, ou simplement un plat
de frites. Les plus sérieux trouveront cependant de quoi satisfaire
leur régime : la vague *vegan* (végétalienne) ou *raw food* (crudivore)
a déferlé sur la ville en même temps que la tendance yoga et n'a
fait que se renforcer avec le réchauffement climatique.

CUISINES DU MONDE

Ville-monde, New York est la capitale du brassage des cultures et
les amateurs de cuisine ethnique ne sauront plus où donner de la
tête – ou des coups de fourchette. De Chinatown à Koreatown, de
Indian Row aux restaurants grecs d'Astoria, les plus petits budgets
trouveront de quoi se régaler et les aventuriers seront comblés.

Dans le quartier,.. Uptown Manhattan

El Paso Taqueria (Mexique)

• 237 East 116th Street, entre 2nd et 3rd Avenues • **East Harlem**
M° 6 : 116th Street • Tél. 212-860-4875
• 1642 Lexington Avenue, entre 103rd et 104th Streets • **Upper East Side**
M° 6 : 103rd Street • Tél. 212-831-9831
• 64 East 97th Street, entre Park et Madison • **Upper East Side**
M° 6 : 96th Street • Tél. 212-996-1739
Tous les jours de 9h à 23h • Plat principal : 6,95 à 16,95 $

Cuisine mexicaine traditionnelle, la première adresse d'El Paso
en plein cœur de Spanish Harlem est peut-être installée dans le
cadre le plus authentique, mais côté cuisine, les trois adresses se
valent. Des tacos aux enchiladas en passant par le burrito, les prix
sont très modestes surtout si l'on considère les portions consé-
quentes. Pour le brunch, les œufs à la mexicaine sont une alternative pimentée aux classiques *eggs Benedict*.

Barney Greengrass

541 Amsterdam Avenue, à l'angle de 86th Street • **Upper West Side**
M° 1 : 86th Street • Tél. 212-724-4707 • Brunch servi du mardi au vendredi de 8h30
à 16h ; le week-end jusqu'à 17h • 6 à 18 $

Depuis 1908, cette véritable institution new-yorkaise sert des spécialités yiddish à la sauce américaine. On y déguste pour le **brunch**
une omelette au pastrami, à la langue ou au *corned-beef*, avec en
accompagnement un énorme cornichon au vinaigre – le fameux
pickle – sur une table en formica. Le service est un peu brusque,
mais les Français ne s'en formaliseront pas. La boutique adjacente
est ouverte jusqu'à 18h.

Celeste

502 Amsterdam Avenue, entre 84th et 85th Streets • **Upper West Side**
M° 1 : 86th Street • Tél. 212-874-4559 • Du lundi au jeudi de 17h à 22h30 ;
les vendredi et samedi jusqu'à 23h30 ; le week-end de midi à 15h • 15 à 17 $
Paiement uniquement en liquide

Aux côtés d'une **cuisine napolitaine** authentique et servie dans
un cadre chaleureux – murs en briques, tables en bois – la pizza est
la spécialité, mais la *pasta* n'en est pas moins divine. Si le menu est
restreint, la carte des vins propose au contraire une sélection de
toutes les régions et pour tous les budgets. Pour ceux que le choix
embarrasserait, le propriétaire se fait un plaisir de sortir une bonne
bouteille de sa cave personnelle.

Good Enough to Eat

483 Amsterdam Avenue, à l'angle de 83rd Street • **Upper West Side**
M° 1 : 86th Street • Tél. 212-496-0163 • Brunch servi tous les jours de 8h à 16h
10 à 25 $

Les Américains parlent de *comfort food* pour désigner les bons petits
plats qui font chaud au cœur. Quelle chance, c'est ce que l'on vous
servira ici. C'est une des adresses incontournables pour le **brunch**,
qui a ici l'avantage d'être servi tous les jours. Ceux qui préféreront se
passer du bain de foule du week-end pourront profiter des vacances
pour bruncher en semaine : ce n'est pas une hérésie, mais un luxe
inaccessible pour le New-Yorkais type (qui travaille en moyenne
10 heures par jour...).

H & H Bagels

2239 Broadway, entre 79th et 80th Streets • Upper West Side

M° 1 : 79th Street • Tél. 212-595-8000

1,40 $ le bagel avec *cream cheese*

Ce sont les **bagels** les plus connus de New York – au point de figurer dans un épisode de *Sex and the City*. Ils sont vendus partout dans la ville et au-delà : la maison mère ne désemplit pas. On peut le consommer sur place sur un coin de table ou l'emporter et le manger en chemin. Tous les goûts de bagels sont disponibles avec toutes sortes de *cream cheese* : attention, décidez-vous à l'avance, car les New-Yorkais ont très peu de patience avec les clients hésitants. L'interjection fatale "*Next* !" ("Au suivant" en français) est plus qu'une menace, c'est bel et bien l'assurance de perdre sa place !

Sarabeth's

• **West** : 423 Amsterdam Avenue, à l'angle de 80th Street

Upper West Side • M° 1 : 79th Street • Tél. 212-496-6280

Tous les jours de 8h à 22h

• **East** : 1295 Madison Avenue, à l'angle de 92nd Street

Upper East Side • M° 4-5-6 : 86th Street • Tél. 212-410-7335

Tous les jours de 8h à 23h ; le dimanche jusqu'à 21h30

• **Central Park** : 40 Central Park South, entre 5th et 6th Avenues

Midtown West • M° N-R-W : 5th Avenue ; M° F : 57th Street

Tél. 212-826-5959 • Petit-déjeuner tous les jours de 8h à 15h30

• **Au Chelsea Market** : 75 9th Avenue, à l'angle de 15th Street

Chelsea • M° A-C-E : 14th Street ; M° L : 8th Avenue • Tél. 212-989-2424

Du lundi au vendredi de 8h à 19h ; le week-end de 10h à 18h

Petit-déjeuner de 5 à 20 $

La confiture Bonne Maman locale, *Sarabeth's Legendary Spreadable Fruit* est en vente partout aux États-Unis. Depuis près de trente ans, sa créatrice, Sarabeth Levine prépare **un des meilleurs petits-déjeuners de la ville** : *pancakes*, flocons d'avoines, ou simples croissants sont à déguster sur place ou à emporter. Dans ce lieu également ouvert pour le déjeuner et le dîner, le menu est différent le midi et le soir.

Glossaire du petit-déjeuner

Bagel ou *bialy* : petit pain d'origine polonaise en forme de disque troué. Cette spécialité yiddish est préparée à partir d'une pâte de levain mélangée à des pommes de terre, qui lui donnent une consistance moelleuse à l'intérieur et croustillante à l'extérieur. Il existe nature, mais il est aussi décliné pour tous les goûts : parsemé d'oignons, d'ail, de sel, de sésame, de pavot, de tout en même temps (*everything bagel*), à la cannelle et aux raisins secs, au blé complet...

Cream cheese : pâte à tartiner au fromage frais pasteurisé. Elle est typiquement servie en sandwich dans le bagel. On en trouve aussi à tous les parfums : du chocolat au saumon fumé en passant par la ciboulette ou l'aneth.

Muffin : petit gâteau individuel – style quatre-quarts. Il est en général aux fruits, à la noix ou au chocolat.

Scone : mi-biscuit, mi-gâteau. Ce petit pain d'origine écossaise est fait à base de farine de blé ou de céréales. Plutôt sec et assez peu sucré, il est en général aux fruits.

Biscuit : petit gâteau individuel salé à base de lait caillé.

Zabar's Café

2245 Broadway, à l'angle de 80th Street • **Upper West Side**
M° 1 : 79th Street • Tél. 212-787-2000 • Tous les jours de 8h à 18h
1,50 à 7 $

Attenant au magasin Zabar's, un des traiteurs les plus célèbres de Manhattan, ce café sert tout au long de la journée **un petit-déjeuner ultra-complet** pour moins de 5 $: *bagel* au *cream cheese* et au saumon fumé, café et jus d'orange. On y trouvera également la gamme habituelle du delicatessen new-yorkais, ainsi que des sandwichs et des pâtisseries issues des meilleures adresses de la ville.

J.G. Melon

1291 3rd Avenue, à l'angle de 74th Street • **Upper East Side**
M° 6 : 77th Street • Tél. 212-650-1310 • Tous les jours de 11h à 4h
Hamburger : 8 $; Cheeseburger : 8,25 $; Dessert : 5,50 $

Nappes à carreaux verts et blancs, parquet qui grince et bar en bois foncé... J.G. Melon est une institution qui, depuis des générations fait le bonheur des étudiants comme des banquiers. Bière pression et **burger** saignant, l'ambiance et le service sont aussi authentiques qu'on pourrait l'espérer. En dessert, ceux qui auraient encore un petit creux se régaleront des traditionnels *cheesecake*, *key lime pie*, ou *pecan pie*.

Patsy's Pizzeria

91 1st Avenue, à l'angle de East 118th Street • **Upper East Side**
M° 6 : 116th Street • Tél. 212-534-9783 • Tous les jours de 11h à 23h • 15 à 25 $
Cinq autres adresses dans Manhattan, à découvrir sur le site : www.patsyspizzeriany.com
Paiement uniquement en liquide

La toute première **pizzeria** de New York, Patsy's, ouvrit ses portes dans les années 1930, à l'autre bout de la ville de Little Italy, où le propriétaire travaillait comme artisan boulanger. Son succès fut immédiat : Patsy's compte aujourd'hui six restaurants dans Manhattan. Cette adresse reste la plus authentique et la meilleure selon les vrais amateurs. Comme la plupart des bons italiens pas chers à New York, la maison n'accepte pas les cartes de crédit (les raisons sont sujettes à interprétation).

Dans le quartier... **Midtown Manhattan**

Better Burger

• 587 9th Avenue, à l'angle de 42nd Street • **Times Square**
M° 1-2-3-7-N-Q-R-S-W : Times Square/42nd Street • Tél. 212-629-6622
Tous les jours de 11h à 22h
• 561 3rd Avenue, à l'angle de 37th Street • **Midtown East**
M° 4-5-6-7-S : Grand Central Station/42nd Street • Tél. 212-949-7528
Tous les jours de 11h à 22h
• 178 8th Avenue, à l'angle de 19th Street • **Chelsea**
Tél. 212-989-6688 • Du dimanche au jeudi de 11h à 22h ; les vendredi et samedi jusqu'à 23h30 • Hamburger 5,99 $; Cheeseburger : 1 $ supplémentaire
Better Burger propose de la viande bio, sans hormones ni anti-biotiques, ainsi que des **burgers** de soja pour les végétariens à savourer accompagnés de jus de fruits, de smoothies ou de sodas entièrement naturels, sans colorants ni produits chimiques.

The Burger Joint

Le Parker Meridien New York • 119 West 56th Street, entre 6th et 7th Avenues
Midtown West • M° F-N-Q-R-W : 57th Street ; M° B-D-E : 7th Avenue
Tél. 212-245-5000 • Tous les jours de 11h30 à 23h30
Milkshake : 5 $; Hamburger : 7 $; Cheeseburger : 7,50 $
Bar à burgers dans un hôtel ultrachic, ce *joint* (boui-boui en anglais argotique) propose des tarifs étonnants pour le quartier. La viande y est excellente et le cadre, tout en bois, joue la carte authentique – *old school* ("vieille école" en français).

The Carnegie Deli

854 7th Avenue, à l'angle de 55th Street • **Midtown West**
M° N-Q-R-W : 57th Street ; M° B-D-E : 7th Street • Tél. 212-757-2245
Tous les jours de 6h30 à 4h30 • 8 à 20 $
Quintessence de la gastronomie yiddish ou new-yorkaise, ce **deli-catessen** sert depuis 1937 tous les plats les plus typiques : *pastrami, pickles, corned beef,* bagel au *lox, cheesecake,* et bien d'autres... Ultra-touristique et passablement kitsch, l'adresse a tout de même

conservé une bonne part d'authenticité et la taille des portions (à partager en quatre !) rend ses prix raisonnables.

Queen of Sheba (Éthiopie)

650 10th Avenue, entre 45th et 46th Streets • **Midtown West**

M° A-C-E : 42nd Street • Tél. 212-397-0610 • Tous les jours de 11h30 à 23h30

Plat principal : 8,95 à 16,95 \$

Ici, et dans le respect de la tradition, les plats – végétariens, viandes ou poissons, en sauces multicolores – sont servis sur le pain traditionnel **éthiopien**, l'*ingera*, et se mangent avec la main. La boisson nationale, le *T'ej*, un vin doré comme du miel et aussi sucré qu'il en a l'air, remonte au IVe siècle – un vrai voyage dans le temps.

Sullivan Street Bakery

533 West 47th Street, entre 10th et 11th Avenues • **Midtown West**

M° 1-2-3-7-N-Q-R-S-W : Times Square/42nd Street

Tél. 212-265-5580 • Du lundi au samedi de 8h à 18h ; le dimanche jusqu'à 16h

3 \$ la *slice*

Roi du *slow food* et maître incontesté de la **boulangerie italienne**, Jim Lahey cultive son levain en Toscane et le rapporte à New York, où il prépare les *pane* selon des méthodes traditionnelles, à l'ancienne. *Pugliese* ou *ciabatta, panino* ou *pizza*, tout y est divinement frais et délicieusement savoureux : c'est de très loin la meilleure adresse pour les amoureux du pain. Inutile de préciser que le café est également importé directement d'Italie. Les produits de la maison sont également en vente chez Whole Foods, Zabar's, Dean & Deluca, et Murray's Cheese Shop.

Version rectangulaire de la *slice* pour les fines bouches, Sullivan Street propose des variations aux champignons, aux pommes de terre, aux oignons ou même nature. Légère et croustillante, la pâte a un goût incomparable et subtil qui réjouira les gourmets.

Cafe Zaiya

18 East 41st Street, entre 5th Avenue et Madison • **Midtown East**
M° 4-5-6-7-S : Grand Central Station/42nd Street • Tél. 212-779-0600
Du lundi au vendredi de 7h à 20h ; le week-end de 10h à 20h • 3 à 7 $

Il n'y a pas de menu fixe dans cette **petite cantine japonaise**
de Midtown où sandwichs, sushis et pâtisseries sont frais du jour.
Pour 3 $, on peut se régaler d'un sandwich de poulet au curry ou
pour 4,50 $ d'une *bento box* – un *lunch box* japonais, avec un repas
complet assorti d'un plat chaud, de sushis et d'une salade d'algues,
par exemple – ou encore, pour 1,75 $, d'un *onigiri* – une boule de
riz au thon, à la crevette ou au saumon emballée dans une feuille
d'algue. Pris d'assaut à l'heure du déjeuner, il faut savoir y jouer des
coudes pour commander.

Kang Suh

1250 Broadway, à l'angle de West 32nd Street • **Koreatown/Midtown East**
M° B-D-F-N-Q-R-V-W : 34th Street/Herald Square • Tél. 212-564-6845
Tous les jours, 24h/24 • Plat principal : 10,50 à 22,95 $

À l'entrée de Koreatown, cette institution date quasiment de l'inauguration du quartier. Ce restaurant sur deux étages ressemble à
un centre commercial de luxe avec son éclairage plein phares et
ses tables séparées par des allées. L'anglais du personnel est parfois
approximatif et la salle remplie de **Coréens** : une preuve qu'ici tout
est authentique. On y sert le traditionnel *Bi bim bop*, soupes, nouilles
et cocottes de viande ou de légumes. La spécialité est le barbecue
coréen : on grille sa viande soi-même sur une plaque brûlante installée au milieu de la table. Les sauces et autres condiments en
accompagnement sont un festival de couleurs et de saveurs, et le
saké coréen est aussi délicieux à tenter.

> ### Koreatown
> Le long de 32ⁿᵈ Street, entre Broadway et 5ᵗʰ Avenue, on trouvera autant
> de boutiques, de restaurants, de spas, de bars et de salons de thé
> coréens, que peut en contenir un pâté de maisons. Koreatown n'est pas
> très étendu ; la profusion de choix est donc d'autant plus surprenante.

99 cents Fresh Pizza

151 East 43ʳᵈ Street, entre 3ʳᵈ Avenue et Lexington Avenue • **Midtown East**
M° 4-5-6-7-S : Grand Central/42ⁿᵈ Street • Tél. 212-922-0257
Tous les jours de 8h à 2h ; les vendredi et samedi jusqu'à 4h
99 ¢ la slice

On peut difficilement faire meilleur pour moins cher que ce petit
stand en plein Midtown. Bien que les ingrédients ne soient pas des
plus naturels – la mozzarella, sous vide, est authentiquement industrielle –, le débit est tel que la **pizza** est toujours fraîchement sortie
du four. Et avec la taxe, la part de pizza revient à seulement 1,07 $…

Chelsea Market

75 9ᵗʰ Avenue, entre 15ᵗʰ et 16ᵗʰ Streets • **Chelsea**
M° A-C-E : 14ᵗʰ Street ; M° L : 8ᵗʰ Avenue • Tél. 212-243-600 • www.chelseamarket.com
Du lundi au samedi de 7h à 21h ; le week-end de 10h à 18h • 6 à 15 $

Cette ancienne usine de gâteaux secs du début du XXᵉ siècle, large
et longue comme un pâté de maisons, a été reconvertie en 1996 en
marché couvert. Ses fours d'époque, son carrelage Art déco et ses
machineries en fonte sont encore là : on se croirait dans le Nautilus,
si ce n'était pour ses boutiques, cafés et primeurs haut de gamme.
Sarabeth's et Amy's Bakery en particulier, proposent de délicieux
petits snacks à consommer sur place sous la lumière artificielle, ou
à emporter au grand jour et à déguster dans le parc ou encore sur
les berges de l'Hudson voisin.

F & B

269 West 23rd Street, entre 7th et 8th Avenues • **Chelsea**

M° C-E : 23rd Street • Tél. 646-486-4441 • Tous les jours de 11h à 22h30

Hot-dog simple : 3,50 $

On trouve ici tous les types de **hot-dogs** possibles et imaginables, au chili, au bacon, au poulet ou entièrement végétarien. F & B se veut l'adresse internationale du hot-dog new-yorkais. Le service est ultrarapide et la déco *funky*.

Petite histoire du "chien chaud"

Selon les experts, le hot-dog américain existerait au moins depuis le milieu du xixe siècle. Son nom viendrait des mauvaises langues qui accusaient alors les fabricants de saucisse de les préparer avec du chien. On sait avec certitude que le hot-dog a pris d'assaut New York en 1916, avec l'ouverture de la chaîne Nathan's à Coney Island. Depuis, Nathan's organise chaque année un concours du plus gros mangeur de hot-dogs pour la fête nationale, le 4 juillet. Le tout dernier record ? 68 hot-dogs avalés en 10 minutes chrono. La récompense ? 10 000 $.

Old Homestead

56 9th Avenue, entre 14th et 15th Streets • **Meatpacking District/Chelsea**

M° A-C-E-L : 8th Street/14th Street ; M° L : 8th Avenue

Tél. 212-242-9040 • Du lundi au jeudi de midi à 22h45 ; les vendredi et samedi de midi à 23h30 ; le dimanche de 13h à 21h30

Porterhouse pour 2 personnes : 86 $

Cette adresse est l'une des plus **authentiques** de Manhattan, un bastion de la bonne cuisine de ménage américaine. Au menu, bœuf grillé, *creamed spinach* (épinards à la crème) et *baked potatoes* (pommes de terre sous la cendre ou en papillote), mais aussi cocktails de crevettes ou des huîtres. La salle est certes immense, mais mieux vaut réserver.

The Park Penthouse

118 10th Avenue, entre 17th et 18th Streets • **Chelsea**
M° A-C-E : 14th Street ; M° L : 8th Avenue • Tél. 212-352-3313
Brunch tous les jours de 10h30 à 17h ; Dîner de 17h à 2h 10 à 16 $; Menu enfant : 5 $
Un grand atrium et une cour intérieure divisent l'espace de ce restaurant déguisé en jardin couvert. Tout près des galeries de Chelsea, ce restaurant maintient des prix très raisonnables pour un **brunch** classique, dans une ambiance moins survoltée que d'autres adresses du Meatpacking.

> *How do you want it cooked ?*
> ("Quelle cuisson souhaitez-vous ?")
> **Black and blue** : bleu.
> **Rare** : saignant.
> **Medium rare** : à point.
> **Well done** : bien cuit.

City Bakery

3 West 18th Street, entre 5th et 6th Avenues • **Union Square**
M° 6 : 18th Street ; M° F-L-V : 14th Street • Tél. 212-366-1414
Du lundi au vendredi de 7h30 à 19h ; le week-end de 9h à 18h
13,50 $ la livre
Giga-deli, la City Bakery ressemble en effet à une ville avec ses quartiers séparés par des allées de *salad bar*. Dans ce décor moderne élégant, on peut vite se perdre ou perdre de vue la taille de son estomac. Indien, mexicain, viande, poisson, végétarien, boulangerie ou sushi : on se servira de tout sans méfiance. Les produits – locaux autant que possible – sont surprenants de saveurs et cuisinés avec soin. On paie au comptoir, au poids.

The Coffee Shop

29 Union Square West, à l'angle de 16th Street • **Union Square**
M° 4-5-6-L-N-Q-R-W : 14th Street/Union Square • Tél. 212-243-7969
Brunch le week-end de 8h à 17h • 9 à 16 $

Facile à repérer avec son grand néon rose et bleu, le Coffee Shop est si bien situé – en plein centre de Union Square – que son emplacement pourrait bien à lui seul expliquer son succès. Dans un décor de *diner* amélioré, le menu est simple et complet : **spécialités américaines**, plats végétariens et inspirations brésiliennes. La terrasse entourant le restaurant est souvent prise d'assaut aux heures des repas en été, mais on trouve relativement facilement une table à l'intérieur. Pour y boire un verre en début de soirée – les mojitos sont fameux – il faut en revanche savoir jouer des coudes pour passer commande derrière trois rangées de clients assoiffés.

Old Town Bar

45 East 18th Street, entre Broadway et Park Avenue South • **Union Square**
M° 4-5-6-L-N-Q-R-W : 14th Street/Union Square • Tél. 212-529-6732
Du lundi au vendredi de 12h à 1h ; le samedi jusqu'à 2h et le dimanche jusqu'à minuit
Hot-dog simple : 5,50 $; Bol de chili : 4,75 $

Comme l'indique l'enseigne, le **vieux New York** est ici garanti : on pourrait même imaginer Melville y inventer certains des personnages de *Moby Dick* accoudé au bar. Des escaliers à pic mènent à une salle de restaurant à l'étage : il faudra choisir entre boire ou monter, car la descente peut être rude après quelques verres !

Union Square Farmers Market

Broadway et East 17th Street • **Union Square** • M° 4-5-6-L-N-Q-R-W : 14th Street/Union Square • Les lundi, mercredi, vendredi et samedi de 8h à 18h

Plus bio que bio, ce **grand marché ouvert** prend d'assaut toute la place de Union Square avec ses stands de primeurs, de fleuristes, de bouchers, de poissonniers, de fromagers et de cavistes, mais aussi des marchands de laine vierge fraîchement tondue... Tous les produits sont de saison et proviennent des fermes situées au nord de l'état de New York ou du New Jersey. On y trouvera également des snacks sucrés et salés, faits maison bien entendu, à déguster sur les tables de camping ou sur les bancs du parc voisin. Celui-ci est le plus grand et le plus fréquenté, mais une liste complète des marchés de quartier peut être consultée sur ce site : http://www.cenyc.org/files/gmkt/map.pdf

Pure Food and Wine

54 Irving Place, entre 17th et 18th Streets • **Gramercy Park**
M° 4-5-6-L-N-Q-R-W : 14th Street/Union Square • Tél. 212-477-1010
Tous les jours de 17h30 à 23h • Plat principal : 23 à 27 $

Avec ses produits issus de l'agriculture **biologique** – cela va sans dire – ce restaurant pousse le concept nature à l'extrême : en cuisine, tout est entièrement végétarien et préparé à basse température, pour préserver les enzymes naturels des aliments qui favorisent la digestion. Le résultat est étonnant en termes de saveurs. Des lasagnes aux tomates et courgettes aux gnocchis de betteraves en passant par la pizza à l'épeautre, jusqu'au gâteau au chocolat noir, on pourra se régaler sans complexes dans un cadre agréable, ouvert sur un jardin et sur une terrasse en été. Et ici, même le vin est issu d'une culture en biodynamie.

Shake Shack

Madison Avenue et 23ʳᵈ Street, angle sud-est de Madison Square Park
Flatiron District • M° N-R-W : 23ʳᵈ Street • Tél. 212-889-6600
Tous les jours de 11h à 23h • Hamburger : 3,75 $; Cheeseburger : 4,25 $

Comme son nom l'indique – *shack* signifie cabane – il ne s'agit que d'un petit stand dans Madison Square Park. Mais le Shake Shack n'est pas n'importe quel stand : il est signé Danny Meyer's, un des restaurateurs les plus réputés de New York. Par beau temps, on peut s'installer à une petite table devant ou manger debout sous l'auvent, qu'il pleuve ou qu'il (de fait) vente. Au menu, toutes sortes de **burgers**, hot-dogs, milkshakes et glaces, préparés sur place à des prix foncièrement abordables ; côté boissons, la carte propose des bières et des vins au verre.

Dans le quartier... **Downtown Manhattan**

La Bonbonniere

28 8ᵗʰ Avenue, entre West 12ᵗʰ et Jane Streets • **West Village**
M° A-C-E : 14ᵗʰ Street ; M° L : 8ᵗʰ Avenue • Tél. 212-741-9266
Brunch tous les jours de 7h à 20h • 3 à 14 $

Étonnamment bon marché, La Bonbonniere n'a de français que le nom. On y propose pour le **brunch** des spécialités américaines dans un décor de *diner* typique – tables en formica et verres en plastique. Les œufs sont à moins de 3 $ et les *french toasts*, dont on noiera l'huile sous une mare de sirop d'érable, ont fait le bonheur de Philip Seymour Hoffmann et Ethan Hawke, entre autres célébrités à admirer en photo le long des murs, si ce n'est en vrai.

Corner Bistro

331 West 4th Street, entre Jane Street et 8th Avenue • **West Village**

M° 1-2-3 : 14th Street ; M° A-C-E-L : 8th Avenue/14th Street

Tél. 212-242-9502 • Tous les jours de midi à 4h

Hamburger : 4 $; Cheeseburger : 4,75 $

Incontournable, ce vieux pub prépare ses steaks hachés à même le feu, sur un grill dans une cheminée en brique. Un long bar en bois foncé, toujours bondé, mène à une petite salle où se trouvent quelques tables supplémentaires. On y attend toujours, mais on n'y est jamais déçu. Authentiques et rustiques au possible, les **burgers** et les frites sont servis dans des assiettes en carton ; et les couverts, pour quoi faire ?

Famous Joe's

7 Carmine Street, à l'angle de 6th Avenue • **Greenwich Village**

M° 1 : Christopher Street/Sheridan Square ; M° A-B-C-D-E-F-V : West 4th Street

Tél. 212-366-1182 • Tous les jours de 9h à 5h • 2,25 $ la *slice*

Véritable institution dans Greenwich Village, Joe's est toujours bondé, que l'on souhaite s'asseoir sur un coin de table en formica ou commander à emporter. De fabrication traditionnelle et artisanale, on déguste la **pizza** de préférence debout devant le comptoir, comme un vrai New-Yorkais.

Caffe Reggio

119 MacDougal Street, entre Minetta Lane et West 3rd Street • **Greenwich Village**

M° A-B-C-D-E-F-V : West 4th Street • Tél. 212-475-9557

Tous les jours de 9h à 2h30 ; le week-end jusqu'à 4h • 3 à 12 $

C'est une véritable institution dans le campus de New York University, à quelques pas de Washington Square Park dans Greenwich Village. Ce petit **café de quartier** accueille les étudiants depuis 1927 et se targue d'avoir été le premier à servir du cappuccino aux New-Yorkais, à l'aide d'une machine à café vieille de plus d'un siècle. Sur les murs, des reproductions de grands maîtres italiens ; sur les tables, petites assiettes de salades et sandwichs côtoient les feuilles de cours ou les ordinateurs portables. Cette adresse authentique est rare au milieu d'une kyrielle d'attrape-touristes.

Gray's Papaya

• 402 6th Avenue, à l'angle de 8th Street • **Greenwich Village**

M° A-B-C-D-E-F-V : West 4th Street ; M° 6 : Astor Place ; M° N-R : 8th Street

Tél. 212-260-3532

• 2090 Broadway, à l'angle de 71st Street • **Upper West Side**

M° 1-2-3 : 72nd Street • Tél. 212-799-0243 • Tous les jours, 24h/24

Hot-dog simple : 1,25 $; Café : 25 ¢

Il y a toujours foule devant ces petits cafés qui servent depuis des générations **le petit-déjeuner le moins cher de la ville**, avec un café à 25 ¢, de 7h à 11h. Le *single dog* est aussi à un prix imbattable : 1,25 $, personne ne dit mieux. Dans ce décor de fast-food, la cuisine est ultrarapide. On a à peine le temps de se rendre compte qu'on a déjà commandé avant de payer. On trouve également ici des jus de fruits frais de toutes sortes, y compris une piña colada à 1,50 $, mais à ce prix-là, il faudra se passer de rhum.

Otto Enoteca Pizzeria

1 5ᵗʰ Avenue, à l'angle de 8ᵗʰ Street • **Greenwich Village**
M° A-B-C-D-E-F-V : West 4ᵗʰ Street ; M° 6 : Astor Place ; M° N-R : 8ᵗʰ Street
Tél. 212-995-9559 • Tous les jours de 11h30 à 23h30 • 7 à 14 $

Créée par deux célébrités de la restauration italienne new-yorkaise,
Mario Batali et Joe Bastianich, cette adresse propose une **pizza**
préparée à la napolitaine. La pâte est si fine et si croustillante que
même mangée avec un simple filet d'huile d'olive, c'est un régal.
Avec son décor design sans être surfait, la salle est immense et
à midi, on trouve toujours de la place. Par contre, le soir, même
avec une réservation, il faut patienter au bar avant d'être installé
à table : pour suivre l'ordre de la liste d'attente, un vieux panneau
d'affichage de gare annonce les départs et les arrivées des clients.

Une aubaine pour les gastronomes fauchés

Deux fois par an et pendant une à deux semaines (suivant l'état des
finances), les plus grands restaurants new-yorkais ouvrent leurs portes
aux petits budgets. La *Restaurant Week* propose des prix fixes autour
de 20 $ pour dîner à des tables réputées inabordables en temps normal.
En général, *Restaurant Week* a lieu en janvier et en août, mais les dates
précises changent chaque année. Pour plus d'informations, consulter le
site : www.nycvisit.com/restaurantweek

Angelika Kitchen

300 East 12th Street, entre 2nd et 1st Avenue • **East Village**
M° L : 1st Avenue • Tél. 212-228-2909 • Tous les jours de 11h30 à 22h30
Plat principal : 10 à 18 $

C'est l'un des tout premiers restaurants à avoir soutenu l'agriculture durable avec un menu entièrement **végétalien**. La carte change quotidiennement en fonction des produits disponibles sur les marchés. Avec ses petits prix et sa sélection abondante, depuis 1976, sa cuisine fait des adeptes, et la salle ne désemplit pas aux heures des repas. On y boit du thé, du café ou du jus de carotte, mais on peut aussi apporter sa propre bouteille (en anglais : BYOB pour *Bring Your Own Bottle*) en payant un droit de bouchon, ce qui reste largement plus économique que de commander une bouteille à la carte.

Ralentissez, vous mangerez mieux !

Le pendant des chaînes de fast-food, le *"slow-food movement"*, a conquis les New-Yorkais qui, comme en tout, ont porté leur engouement à l'extrême. La qualité des produits est ainsi la règle numéro 1. Si le fait qu'ils soient issus de l'agriculture biologique est une condition nécessaire pour les adeptes des légumes verts, cette dernière n'est plus suffisante. Le Tout-New York est maintenant passé à la folie du *"local food"* : il s'agit des récoltes issues des fermes situées aux alentours de la mégapole, non seulement pour éviter les émissions de CO_2, mais aussi pour soutenir les petits cultivateurs de *upstate* jusqu'au Vermont en passant par la Pennsylvanie.

Cafe Mogador (Afrique du Nord)

101 Saint Marks Place, entre 1st et 2nd Avenues • East Village
M° L : 1st Avenue ; M° 6 : Astor Place • Tél. 212-677-2226
Tous les jours de 9h à 1h • Plat principal : 9,50 à 17 $

Dans une grande salle aux murs en brique, les couscous, tagines et assortiments de hors-d'œuvre **orientaux** sont toujours savoureux. Le service est parfois un peu longuet, mais une fois servi, on n'est jamais déçu par les parfums exotiques de la cuisine.

Dok Suni's

119 1st Avenue, entre East 6th et East 7th Street • East Village
M° 6 : Astor Place • Tél. 212-477-9506 • Tous les jours de 16h30 à 23h
10,95 à 20,95 $

Version jeune et branchée du restaurant **coréen** traditionnel, Dok Suni's ne perd pas en qualité ce qu'il gagne en ambiance. Tables en bois, murs en brique, les serveurs ne parlent pas toujours aussi couramment coréen que les clients. Le barbecue est bon et les plats sont authentiques pour des prix très raisonnables en plein cœur d'East Village.

Esperanto

145 Avenue C, à l'angle de East 9th Street • East Village
M° 6 : Astor Place ; M° L : 1st Avenue • Tél. 212-505-6559
Du dimanche au mercredi de 18h à minuit ; du jeudi au samedi de midi à 1h
Plat principal : 9 à 17,50 $; Mojito ou caïpirinha : 6 $

On se croirait dans un cabanon en bord de mer au **Brésil** accoudé au bar en bambou, devant des murs bleu pervenche, surtout après quelques mojitos ou caïpirinhas, avec, en fond musical, un groupe de samba.

Odessa

119 Avenue A, entre 7th Street et Saint Marks Place • **East Village**
M° 6 : Astor Place ; M° L : 1st Avenue • Tél. 212-253-1470
Tous les jours, 24h/24 • 2,25 à 12,95 $

L'Odessa vaut le détour non seulement pour ses tarifs imbattables, mais aussi et surtout pour son atmosphère *vintage*. Un des derniers **diners** à avoir échappé aux transformations de l'East Village, depuis des générations. Odessa nourrit les réfugiés d'Europe de l'Est comme les plus fauchés dans un cadre un brin délétère. Populaire et people, l'établissement compte notamment parmi ses fidèles clients l'acteur underground Vincent Gallo.

Takahachi

• 85 Avenue A, entre 5th et 6th Streets • **East Village**
M° 6 : Astor Place ; M° F-V : 2nd Avenue/East Side • Tél. 212-505-6524
• 145 Duane Street, entre Church Street et Broadway
Lower Manhattan/Tribeca • M° 1-2-3-A-C : Chambers Street
Tél. 212-571-1830 • Tous les jours de 17h à minuit
Menu sushi ou sashimi : 16 à 26 $

Dans une ambiance décontractée, ce petit **sushi bar** est aussi bon que bondé et économique. Outre les classiques poissons frais et tempuras dorés à la perfection, on y trouvera des sélections de makis classiques ou revisités...

Les restaurants de sushis

Bizarrement, il n'y a pas de quartier japonais à New York, si ce n'est un petit bout de rue : East 9th Street, entre 2nd et 3rd Avenue. C'est d'autant plus étrange puisqu'il existe presque autant de sushi bars que de burger joints à Manhattan. Les restaurants de sushis *All You Can Eat* ("tout ce que vous pourrez manger") sont monnaie courante et de loin les moins chers ; la qualité des produits est cependant plus que douteuse. De même, on évitera la nouvelle chaîne de sushis Sushi Samba qui a pris d'assaut la ville.

Tarallucci E Vino

• 163 1st Avenue, à l'angle de 10th Street • **East Village**

M° L : 1st Avenue • Tél. 212-388-1190

• 15 East 18th Street • **Union Square** • M° 4-5-6-L-N-Q-R-W : 14th Street/Union Square

Tél. 212-228-5400 • 8 à 16 $

Les tables en bois de ce petit **café italien** lui donnent un air de campagne, une ambiance chaleureuse et accueillante, surtout avec sa terrasse à l'intérieur en été. On y sert un des meilleurs *espressi* de New York et des plats, toujours très simples – sandwichs de *ciabatta*, salades et pâtisseries – faits avec d'excellents produits et remarquablement frais.

Veselka Restaurant

144 2nd Avenue, à l'angle de 9th Street • **East Village** • M° 6 : Astor Place

Tél. 212-228-9682 • Tous les jours, 24h/24 • 3 à 13,50 $

Veselka (arc-en-ciel en français), a été fondé par une famille de réfugiés politiques ukrainiens en 1954. Le restaurant propose **des spécialités d'Europe de l'Est comme des plats typiquement américains**. Il est l'un des grands favoris de l'East Village, en particulier des étudiants de la New York University située à quelques rues : le bortsch est à 3,25 $ et les œufs à 2,95 $. Pour à peine 5 $, on peut aussi tenter les *cheese blintz* (beignets au fromage frais), les *pierogis* (raviolis frits) ou la fameuse *kielbasa*, entre autres délices d'Ukraine.

Freemans

Au bout de Freeman Alley, une impasse qui donne dans Rivington Street,
entre Bowery et Chrystie Street • Lower East Side • M° F-V : 2nd Avenue
M° J-M-Z : Bowery ; M° 6 : Spring Street • Tél. 212-420-0012
www.freemansrestaurant.com • Brunch tous les jours de 10h à 16h • 9-13 $

Au fond d'une allée pavée, ce restaurant ultra-branché aux allures
de repaire de chasseur réjouira surtout les amateurs de taxidermie.
La **cuisine américaine rustique et biologique** est riche et goû-
teuse. Les cocktails sont inventifs : vous laisserez-vous tenter par un
doigt de vodka dès le petit-déjeuner ?

Katz's Delicatessen

205 East Houston Street, à l'angle de Ludlow Street • Lower East Side
M° F-V : 2nd Avenue/Lower East Side • Tél. 212-254-2246
Du lundi au vendredi de 8h à 22h45 ; le week-end jusqu'à 2h45 • 6 à 18 $

"Since 1888" annonce la pancarte à l'entrée : l'incontournable Katz's
Deli, où fut tournée la célèbre scène de simulation d'orgasme de
Quand Harry rencontre Sally n'avait pas besoin d'Hollywood pour se
faire connaître. Depuis toujours (un siècle : autant dire une éternité
à New York), leurs fameuses charcuteries casher empilées entre
deux tranches de pain de mie font des adeptes. On est servi derrière un long comptoir, sous un énigmatique adage publicitaire,
vieux comme la guerre : *Send a salami to your boy in the army !*
("Envoyez un salami à votre fils au front !"). Si, si, ça rime, en dialecte
populaire new-yorkais.

Cafe Habana

17 Prince Street, à l'angle de Elizabeth Street • Soho

M° R-W : Prince Street ; M° F-V : 2nd Avenue/Lower East Side

Tél. 212-625-2001 • Tous les jours de 9h à minuit • 8,75 à 12,75 $

Plus authentiquement branchouille que **cubain** pur souche, ce café est une adresse à retenir pour ses petits prix et pour ses épis de maïs au fromage et au citron vert. Cette cantinette est souvent pleine à craquer, les impatients pourront alors commander leur sandwich cubain au *take away* voisin, sur Elizabeth Street.

The Yoghurt Place II

71 Sullivan Street, entre Spring et Broome Streets • Soho

M° C-E : Spring Street • Tél. 212-219-3500 • Tous les jours de 10h à 19h • 4 à 7 $

L'authentique yaourt grec importé en direct d'Astoria (Queens) servi ici n'a rien à voir avec celui que l'on trouve conditionné au supermarché. Riche et onctueux, il est servi avec du miel et des noix ou toute une gamme d'accompagnements. Pour le salé, les petits beignets de poulet ou de fromage dans une pâte filo préparés sur place sont un régal. À Soho, il est rare de si bien manger pour si peu cher.

Great Jones Cafe

54 Great Jones Street, entre Lafayette et Bowery • Noho

M° 6 : Astor Place ou Bleecker Street ; M° B-D-F-V : Broadway/Lafayette Street

Tél. 212-674-9304 • Du dimanche au vendredi de 17h à minuit ; le samedi jusqu'à 4h ; brunch le week-end de 11h30 à 16h • Hamburger : 8,95 $; Cheeseburger : 9,95 $

Spécialités "cajun" ou sudistes, au Great Jones Café, on pourra déguster en dehors du **burger**, une *Jambalaya* (version créole de la paella), un poisson-chat avec des frites au paprika ou encore un chili con carne maison pour à peine 10 $. Dans une ambiance *vintage* – le jukebox passe des vinyls de country music ou de rock alternatif – depuis plus de vingt-cinq ans, ce tout petit bar-restaurant fait le bonheur des foules ultrabranchées comme des plus fauchées.

Great N.Y. Noodletown

28 Bowery, à l'angle de Bayard Street • Chinatown • M° B-D : Grand Street ;
M° 6-J-M-N-Q-R-W-Z : Canal Street • Tél. 212-349-0923
Tous les jours de 9h à 4h • Plat principal : 3,75 à 9,95 $

Comme son nom l'indique, les nouilles sont la spécialité de ce
"grand" restaurant de **cuisine cantonaise**. En devanture, des
viandes rôties au glaçage ambré, dont le fameux canard laqué,
accueillent les clients avec des parfums sucrés d'épices. Toujours
plein, y compris à 2h du matin, on n'y vient pas pour traîner à
table et les plats s'enchaînent aussi vite que la salle se remplit et
se désemplit. Hormis les nouilles au bouillon, on se régalera des
beignets de crevettes, du poisson frais, du porc braisé, ou encore de
fruits de mer, en saison. On peut apporter sa bouteille (*BYOB*, voir
p. 86), car sur place, on ne se saoule qu'au thé vert.

Prosperity Dumpling

46 Eldridge Street, entre Canal et Hester Streets • Chinatown
M° B-D : Grand Street ; M° 6-J-M-N-Q-R-W-Z : Canal Street
Tél. 212-343-0683 • Tous les jours de 7h à 21h30 • 20 ¢ le *dumpling*

Raviolis ou boulettes de viande, poisson ou légumes, les *dumplings*
sont ici servis à la chaîne, par 5, 8 ou 10, frits ou à la vapeur, pour
1 ou 2 $. Croustillants à l'extérieur et fondants à l'intérieur, Prosperity
fait les meilleurs, d'une fraîcheur exemplaire. On peut également les
commander dans un bol de soupe sucrée-salée, pour seulement 3 $. À
ce prix-là, on s'accommodera du service un brin rustre.

Super Taste

26 Eldridge Street, entre Canal et Division Street • Chinatown
M° 6-J-M-N-Q-R-W-Z : Canal Street ; M° B-D : Grand Street ;
M° F : East Broadway • Tél. 212-625-1198 • Tous les jours de 10h30 à 22h30
Plat principal : 3 à 6 $

Si le menu placardé sur le mur n'est présenté qu'en **chinois**, c'est
certainement pour encourager les touristes à passer leur chemin.
Cette adresse authentique propose cependant une carte en anglais
pour les plus aventuriers. Nouilles au bouillon et beignets de porc

et ciboulette à la vapeur sont cuisinés à la perfection, dans une infusion de saveurs d'épices et de viande. Boulettes de poisson, de canard ou de mouton, tout est préparé sur place dans ce minuscule boui-boui et servi dans des bols en plastique. Fréquenté surtout par des locaux, les prix sont en fonction : ainsi, pour 5 $, on sortira rassasié, voire repu.

Pakistan Tea House

176 Church Street, entre Duane et Reade Street • **Lower Manhattan**
M° 1-2-3-A-C : Chambers Street • Tél. 212-240-9800
Tous les jours de 10h à 4h • Plat principal : 4,99 à 6,99 $
On peut difficilement trouver moins cher que ce petit stand **pakistanais** en plein quartier de la finance. Le menu est minimal, la salle aussi, et les plats sont dans des bacs en métal. Mais on se régalera de poulet tikka ou d'agneau au riz basmati. À l'heure du roulement, ce boui-boui est envahi par les chauffeurs de taxis, garés devant en double file : un bon signe.

Bubby's Restaurant Bar & Bakery

120 Hudson Street, à l'angle de North Moore Street • **Tribeca**
M° 1 : Franklin Street • Tél. 212-219-0666 • Brunch le week-end de 8h à 16h ;
dîner du lundi au samedi jusqu'à 23h ; dîner le dimanche jusqu'à 22h • 8 à 18 $
Ambiance chaleureuse et portions généreuses, Bubby's est connu pour son **brunch** authentique – des *grits* aux *pancakes*, en passant par les incontournables *eggs Benedict*. Tout est fait à base de produits bio, locaux de préférence et ce qui n'est pas préparé sur place provient des meilleures adresses de la ville. On y mangera plus qu'à sa faim et on aimera s'y attarder devant une tasse de café – servi à volonté bien sûr.

Dans le quartier... **Brooklyn**

Grimaldi's

9 Old Fulton Street, entre Elizabeth Place et Water Street, sous le Brooklyn Bridge
Brooklyn Heights • M° A-C : High Street ; M° F : York Street ; M° 2-3 : Clark Street
Tél. 718-858-4300 • Tous les jours de 11h30 à 22h45 ; les vendredi et samedi
jusqu'à 23h45 • 12 à 20 $

La **pizza** au feu de bois est ici chose sérieuse : on vient pour ça et
il y en a toujours. Nappes à carreaux, décor rustique et ambiance
authentique, le service est certes pressé, mais il faut bien satisfaire
les foules qui se bousculent sans cesse à l'entrée.

Colson Patisserie

374 9th Street, à l'angle de 6th Avenue • **Brooklyn/Park Slope**
M° L : 1st Avenue • Tél. 718-965-6400 • Tous les jours de 7h à 20h
3 à 12 $

Cette délicieuse **pâtisserie de quartier** permet de déguster café-
croissant, petits snacks salés, salades ou sandwichs ; tout est préparé
sur place et le menu change chaque jour. L'ambiance y est chaleureuse et le cadre agréable. C'est aussi une adresse idéale pour se
ravitailler avant d'aller pique-niquer dans Prospect Park.

Franny's

295 Flatbush Avenue, entre 6th et 7th Avenues • **Brooklyn/Park Slope**
M° 2-3 : Hoyt Street ; M° B-M-Q-R : DeKalb Avenue • Tél. 718-230-0221
Tous les jours de 17h30 à 23h ; le dimanche jusqu'à 22h • 9 à 14 $

Puriste de l'agriculture non seulement biologique, mais aussi locale,
le menu de Franny's change suivant la saison et le marché. Sa **pizza**
à pâte ultrafine a fait sa réputation, mais les entrées et les **pâtes**
sont également délicieuses. La cour arborée au fond du restaurant
est une merveille en été. Le week-end, il faut se préparer à attendre
une table au moins une heure...

Stone Park Cafe

324 5th Avenue, à l'angle de 3rd Street • **Brooklyn/Park Slope**
M° 6 : 33rd Street • M° B-D-F-N-Q-R-V-W : 34th Street/Herald Square
Tél. 718-369-0082 • Brunch le week-end de 10h30 à 15h ;
Dîner tous les jours de 17h30 à 22h • 8 à 16 $

Ce petit restaurant charmant et chaleureux est installé dans une ancienne *bodega* (épicerie mexicaine) retapée, en plein centre de Park Slope, face à un parc et à un musée du même nom (The Old Stone House). On y prépare une **cuisine américaine** savoureuse, avec une pointe d'exotisme. Une adresse de choix où les prix restent très modestes au vu de la qualité de la cuisine.

Alma

187 Columbia Street, à l'angle de Degraw Street • **Red Hook/Carroll Gardens**
M° F-G : Carroll Street • Tél. 718-643.5400
Du dimanche au jeudi de 17h30 à 22h ; les vendredi et samedi jusqu'à 23h ; fermé le lundi et le mardi ; brunch le samedi et le dimanche de 10h à 14h30 • 8,50$ à 16 $

Outre les délicieuses fajitas, les tacos au poisson et le guacamole servi à même le mortier, Alma a plus que sa **cuisine mexicaine** pour séduire : le cadre mémorable, au bar tout en bois ancien, rappelle les ports du vieux New York. À l'étage, une terrasse chauffée toute l'année offre une vue imprenable sur Manhattan d'un côté, la statue de la Liberté de l'autre. Après une dégustation de tequila (14 $ pour 3 verres) à l'heure du coucher de soleil, on se croirait presque au paradis sur Terre.

Bozu

296 Grand Street, entre Roebling et Havemeyer Street
Brooklyn/Williamsburg • M° L : Bedford Avenue/Lorimer Street
Tél. 718-384-7770 • Du dimanche au jeudi de 18h à minuit ;
les vendredi et samedi jusqu'à 1h • *Party Bomb* (12 pièces) : 18 $

Dans ce **bar à tapas japonais**, la cuisine est aussi originale que
le décor. À l'intérieur, la lumière tamisée donne l'impression d'entrer dans une forêt, où l'on sert du saké derrière un comptoir en
Plexiglas. Au menu, des *"bomb"* – leur version du sushi, arrondi en
forme de demie grenade – ravissants et une sélection de sakés et
de cocktails détonants. En été, le jardin du restaurant propose un
coin fumeur – avis aux amateurs.

Diner

85 Broadway, à l'angle de Berry Avenue • **Brooklyn/Williamsburg**
M° J-M-Z : Marcy Avenue ; M° L : Bedford Avenue • Tél. 718-486-3077
Tous les jours de 11h à 2h • Plat principal : 11 à 25 $

Un **vrai faux *diner*** ! Dans cette ancienne cantine des années 1920
retapée avec soin, ce qui surprend, c'est tout ce qui n'est pas sur
la carte. Au menu, à peine trois plats – burgers, salades et *french
fries* – mais il faut attendre que le serveur s'installe sur la banquette
pour écrire le reste de mémoire sur la nappe en papier. Chaque jour,
tous les plats changent et on a l'embarras du choix : tous les produits
sont frais, locaux, archi-bio et cuisinés traditionnellement, avec une
pointe d'exotisme. Le résultat est délicieux. L'assiette de fromages,
en particulier, étonnera les amateurs : le cheddar du Vermont ou
le chèvre de Pennsylvanie sont aussi fins qu'un cantal d'Auvergne
ou un valençay.

Dumont Burger

314 Bedford Avenue, entre South 1st Street et South 2nd Street
Brooklyn/Williamsburg • M° L : Bedford Avenue • Tél. 718-384-6128
Tous les jours de 11h à 2h • Hamburger : 9 $; Cheeseburger : 10 $

Le "mini" **burger** n'en a que le nom, mais pour ceux qui auraient
une grosse faim, le burger taille normale est à 12 $. Dans le quar-

tier le plus branché de Brooklyn, ce petit bar a tout du décor classique – comptoirs en bois, murs en briques – avec un petit je-ne-sais-quoi de sexy qui fait grimper les prix. Perché sur un tabouret de bar, on y mange des hamburgers évidemment, mais aussi des *buns* végétariens ou au poisson. Les frites peuvent être remplacées par une salade verte, avec une vinaigrette au romarin – encore une fois, la petite touche de charme.

Egg

135 North 5th Street, entre Bedford et Berry Avenues
Brooklyn/Williamsburg • M° L : Bedford Avenue • Tél. 718-302-5151
Brunch tous les jours de 7h à 15h ; Dîner le week-end jusqu'à 22h • 7 à 20 $

Comme son nom l'indique, l'œuf est le point fort de ce tout petit café au menu riquiqui. Spécialités sudistes, produits frais issus de l'**agriculture biologique** locale, tout est fait sur place dans une mini-cuisine, ouverte au fond d'une salle toute en longueur. Les tables sont décorées de nappes en papier kraft, sur lesquelles on est invité à griffonner en attendant son plat avec des craies grasses distribuées en guise de gressins. Le week-end, à moins d'arriver à l'aube, on aura l'impression de se retrouver au milieu d'une manif.

La cuisson des œufs

(ou "*How would you like your eggs ?*")

Sur tous les menus de brunch, on lit "*eggs any style*", c'est-à-dire comme on les veut, le tout étant de savoir comment le dire. Voici un rapide lexique des préparations à l'américaine :

Eggs sunny side-up : œufs au plat.

Eggs over easy* ou *over medium : œufs au plat, revenus de chaque côté, baveux ou bien cuits.

Scrambled eggs : œufs brouillés.

Poached eggs : œufs pochés.

Soft-boiled eggs : œufs à la coque.

Hard-boiled eggs : œufs durs.

Fornino

• 187 Bedford Avenue, entre North 6th et North 7th Streets • **Brooklyn/Williamsburg**
M° L : Bedford Avenue • Tél. 718-384-6004
• 254 5th Avenue, entre Carroll Street et Garfield Place • **Park Slope**
M° M-R : Union Street • Tél. 718-399-8600
Tous les jours de midi à 23h ; les vendredi et samedi jusqu'à minuit • 9 à 20 $

Le propriétaire des lieux ne plaisante pas avec la qualité de ses produits : pour être absolument certain de leur fraîcheur, il les cultive lui-même dans son potager. La **pizza** n'en est que meilleure, et en été, on peut la déguster entre les plans de basilic frais dans le jardin.

Peter Luger's

178 Broadway, entre Driggs et Bedford Avenue • **Brooklyn/Williamsburg**
M° 4-5 : Fulton ; M° A-C : Broadway/Nassau • Tél. 718-387-7400
Du dimanche au jeudi de 11h30 à 21h30 ; les vendredi et samedi jusqu'à 22h30
Porterhouse pour 2 personnes : 81 $

Depuis son ouverture en 1887, Peter Luger's sert le même *porterhouse* dans les mêmes murs. Le décor n'a pas tellement changé non plus : tout en bois du sol au plafond, sur des grandes tables de ferme recouvertes de nappes à carreaux. Le service est brusque, mais d'autant plus **authentique**. On n'y fait pas de chichis, et on ne pinaille pas sur les portions. Réservation impérative : c'est toujours bondé.

Sea

114 North 6th Street, entre Berry et Wythe Avenue • **Brooklyn/Williamsburg**
M° L : Bedford Avenue • Tél. 718-384-8850 • Tous les jours de midi à 23h • 8 à 16 $

C'est l'un des tout premiers "*destination restaurants*" de Williamsburg (l'expression fait référence aux lieux situés hors des quartiers centraux ; ceux pour lesquels les New-Yorkais se déplaceront exprès). Sea a de l'espace à revendre : avec 700 mètres carrés et 10 mètres de hauteur sous plafond, derrière de grandes baies vitrées, un plan d'eau sous une verrière sépare les rangées de tables. Dans un décor des années 1970, deux bars et un DJ accueillent le soir les clients friands de **currys** arrosés de cocktails multicolores. Bruyant et bondé, on ira moins pour la cuisine que pour l'ambiance.

The Taco Truck
Bedford Avenue et North 6th Street • **Brooklyn/Williamsburg**
M° L : Bedford Avenue • Tél. 347-400-8128 • Tous les jours de 15h à 22h
2,50 à 6 $

Ce camion-restaurant stationne à une rue du métro, devant le caviste Uva Wines : le Taco Truck distribue **tacos** au poulet, bœuf, poisson ou végétariens pour la modique somme de 2,50 $. Aussi insolites que soient ses fourneaux, il en sort des merveilles gastronomiques : remarquablement frais, les produits sont de première qualité. Tout est préparé sur place et servi par la fenêtre du coffre. Avec un peu de chance, on peut tomber sur une soirée dégustation chez le caviste et se faire offrir un verre de vin pour le même prix.

Madiba Restaurant (Afrique du Sud)
195 DeKalb Avenue, à l'angle de Carlton Avenue • **Brooklyn/Fort Greene**
M° C : Lafayette Street ; M° G : Clinton-Washington Avenues • Tél. 718-855-9190
Tous les jours de 16h à minuit • Plat principal : 14 à 24 $

Des lianes, du bambou et de petites tables basses comme des grands tambours, le cadre est ici aussi authentique que la cuisine. À l'entrée, des photos de Nelson Mandela annoncent l'esprit du lieu. Si les vins **sud-africains** n'ont plus besoin qu'on fasse leur réputation, les plats traditionnels méritent l'attention des amateurs de poisson grillé et de sauces au goût fumé.

Dans le quartier... **Queens**

Arunee Thai Cuisine

3768 79th Street, au coin de Roosevelt Avenue • **Queens**
M° 7 : 82nd Street-Jackson Heights ; M° E-F-R-V : Jackson Heights/Roosevelt Avenue
Tél. 718-205-5559 • Tous les jours de midi à 22h30 • Plat principal : 7,95 à 20,95 $

On sert ici une vraie **cuisine thaïe**, avec ses infusions de citronnelle, de basilic, de piments et d'épices. Il n'y a qu'à Jackson Heights qu'on peut déguster cette cuisine dans toute la splendeur de ses saveurs. Dans ce joli restaurant haut de plafond, on mange les meilleurs currys, salades ou soupes au lait de coco traditionnels dans une ambiance chaleureuse et pour des prix très modestes.

Jackson Diner

3747 74th Street, entre Roosevelt Avenue et 37th Road • **Queens**
M° 7 : 74th Street/Broadway ; M° E-F-R-V : Jackson Heights/Roosevelt Avenue
Tél. 718-672-1232 • Du dimanche au jeudi de 11h30 à 22h ; les vendredi et samedi jusqu'à 23h • Plat principal : 9 à 20 $; Buffet déjeuner : 8,95 $

Parmi les meilleurs **currys et tandooris** de la ville, ce restaurant au cœur de Little India n'a plus grand-chose d'un authentique *diner*, mais la cuisine n'en pâtit pas. Des nans fondants aux lassis fraîche-ment mixés, on ne sera pas déçu de s'être déplacé jusqu'au Queens pour déguster un véritable raïta ou encore de l'agneau tikka. La salle est immense, mais souvent comble.

Little India

Le vrai Little India se trouve dans le Queens, là où les Indiens, Pakistanais et Bangladais vivent et font leur marché. À défaut, ceux qui préféreront rester à Manhattan pourront se régaler d'un authentique curry pakista-nais avec les chauffeurs de taxi, pendant leur pause – une expérience à tenter absolument.

Astoria

Si Greenwich Village regorge de restaurants grecs, il faut s'en méfier comme de la plupart des attrape-touristes du quartier. Inventeurs du *diner*, les Grecs sont installés à Astoria dans le Queens depuis des générations et on y trouvera des tavernes à la cuisine aussi authentique qu'à Chios ou à Athènes, dans une ambiance américaine.

Uncle George's Greek Tavern

3319 Broadway, à l'angle de 33rd Street • **Queens** • M° 1 : 137th/City College
Tél. 718-626-0593 • Tous les jours, 24h/24 • Plat principal : 6 à 16 $

Ici, on ne sert que des **spécialités grecques** dans un cadre rustique à souhait : les hors-d'œuvre variés se déploient sur les nappes à carreaux à toute heure du jour ou de la nuit. Calamars grillés au feu de bois ou crevettes à la feta, les fruits de mers sont parmi les cartes maîtresses du lieu. Ici, tout est frais et délicieux.

BOIRE UN VERRE (OU DEUX)

Pour sortir, comme pour le reste, on aura l'embarras du choix à New York, où il existe autant de styles de bars que de types de cocktails. Des *dives* aux clubs ultrabranchés, des clubs de salsa aux concerts de rock, on trouvera de tout.

BON À SAVOIR

• Si presque tous les bars proposent des *happy hours*, les jours, les horaires et les offres changent selon les lieux.

• Ceux qui disposent d'une connexion Internet durant leur séjour sur place pourront également s'inscrire sur un serveur qui envoie tous les jours un agenda des sorties gratuites ou à petits prix et offre des réductions sur les concerts, soirées, places de théâtre et autres divertissements : www.clubfreetime.com.

• Il est interdit de danser et de fumer dans les bars new-yorkais. Vous avez moins de 21 ans ? Passez votre chemin, vous n'aurez pas le droit d'entrer. Pensez d'ailleurs, quel que soit votre âge, à toujours vous munir de votre pièce d'identité. Les videurs ou barmen la demandent quasiment systématiquement.

Spécial petits portefeuilles

La PRB (*Pabst Blue Ribbon*) fut nommée "*America's Best*" en 1893, d'où le ruban beu qui lui donna son nom et son logo. En canette, bouteille ou pression, elle est si bon marché que certains bars la servent à volonté.

Les "dives"

Boui-boui, rade, bouge, tripot, le *dive* désigne le bistrot du coin, l'équivalent du pub anglais, mais plus souvent irlandais, où l'on peut boire à n'importe quelle heure sans la voir tourner. Tout *local* (ou *dive* de quartier) a ses habitués agrippés au comptoir. C'est aussi là qu'on trouvera les meilleurs *happy hours* de début de soirée et les femmes seules n'y passeront pas inaperçues.

Abbey Pub

237 West 105th Street, à l'angle de Broadway • **Upper West Side**
M° 1 : 103rd Street • Tél. 212-222-8713 • Du lundi au samedi de 16h à 4h ;
le dimanche à partir de midi • *Happy hours* de 16h à 19h : 1 $ de réduction • 4 $ le verre
Dans cette sorte de pub irlandais revisité à l'américaine tout en
longueur et éclairé par des lampes Tiffany, on rencontrera à la fois
de vieux habitués et des jeunes étudiants de Columbia. Le menu est
un peu sophistiqué pour le genre de l'endroit (évitez le plat du jour
en sauce ou le vin), mais les burgers et la bière sont sans danger, à
condition, évidemment, de ne pas en abuser.

Emerald Inn

205 Columbus Avenue, à l'angle 69th Street • **Upper West Side**
M° 1-2-3 : 72nd Street • Tél. 212-874-8840 • Tous les jours de 9h30 à 4h • 4 $ le verre
Échoués dans ce havre de paix au milieu de la cohue du quartier
survolté, des businessmen à la cravate dénouée se rincent le gosier,
entre deux fous rires. Quelques *booths* (des tables pour quatre, avec
des banquettes de chaque côté) et un long bar meublent l'espace,
dans un cadre genre taverne irlandaise des familles. On y sert de la
Guinness, entre autres bières pression, et une cuisine simple, mais
très bonne : *fish & chips* ou spaghetti aux boulettes de viande, pour
des prix tout aussi modestes.

Mars Bar

25 East 1st Street, à l'angle de 2nd Avenue • **East Village**
M° F-V : 2nd Avenue/Lower East Side • Tél. 212-473-9842
Tous les jours de 14h à 4h • À partir de 3 $ le verre
Les habitués de Mars n'ont pas bonne mine et ceux qui ont des
couleurs ont clairement la couperose. Dans ce boui-boui authentiquement cradingue – non, vraiment pourrissime – on arrive au plus
près de ce qu'a pu être le New York des années 1970-1980. Ça fait
tout drôle de voir cette adresse tenir le cap après qu'une lame de
fond de branchitude ait lessivé le quartier. Le Mars Bar reste un rite
de passage, une expérience incontournable pour ceux qui goûtent
l'exploration ethnologique – les autres fuiront.

The Ear Inn

326 Spring Street, entre Greenwich et Washington Streets • **West Village**
M° 1 : Houston Street • Tél. 212-431-9750
Tous les jours de midi à 4h • Alcools à partir de 4 $

Dans ce pub plein à craquer aux heures de pointe, surtout les après-midi pluvieux, les murs suintent le passé et on y verra presque en hologramme les marins qui, plus d'un siècle plus tôt, descendaient leurs pintes dans ce coin reculé de Manhattan, sur les berges de l'Hudson. Les burgers sont excellents, et la bière, pas chère.

The Trash Bar

256 Grand Street, entre Driggs et Roebling Avenue • **Brooklyn/Williamsburg**
M° J-M-Z : Bowery • Tél. 718-599-1000 • Tous les jours de 17h à 4h
À partir de 4 $ le verre ; *Happy hours* de 17h à 20h : 1 verre acheté = 1 verre offert

Comme son nom l'indique, Trash ("déchet" en français) n'est pas pour les précieux. Concerts de rock dur et soirées à thème alternent dans la salle du fond de cet immense bar. Le reste du temps, l'alcool est au programme et les réductions *after-hours* ne sont pas là pour encourager les jeunes à aller se coucher.

LIC Bar

45-58 Vernon Boulevard, entre 45th et 46th Roads • **Queens/Long Island City**
M° G : 21st Street ; M° 7 : 45th Road-Court House Square ;
M° E-V : 23rd Street-Ely Avenue • Tél. 718-786-5400 • Du lundi au jeudi de 16h à 2h ;
les vendredi et samedi jusqu'à 4h ; le dimanche de 13h à 2h • 4 $ le verre

Après avoir été désaffecté pendant cinquante ans, LIC a rouvert comme si le temps s'était arrêté. Dans un grand espace aux murs en briques, aux tables en bois et aux parquets d'époque, l'ambiance est aussi authentique que sympathique. En été, un joli jardin avec des tables accueille les fumeurs.

Les institutions historiques

Les adresses du vieux New York ou les bars qui servent depuis plus d'un siècle se font désormais rares. Dans ceux cités ci-après, l'Histoire est encore perceptible...

White Horse Tavern

567 Hudson Street, à l'angle de West 11th Street • **West Village**
M° A-C-E-L : 8th Avenue/14th Street ; M° 1 : Christopher Street/Sheridan Square
Tél. 212-989-3956 • Du dimanche au jeudi de 11h à 1h30 ; les vendredi et samedi
jusqu'à 3h30 • Alcools à partir de 4 $

Dans cette vieille taverne inaugurée vers la fin du XIXe siècle, seule la clientèle s'est transformée. Tables en bois à l'intérieur comme à l'extérieur, la terrasse est grande et agréable en été. James Baldwin, Bob Dylan et Jack Kerouac comptèrent parmi les habitués du lieu. C'est également là que le poète Dylan Thomas s'est – littéralement – saoulé à mort.

Bridge Cafe

279 Water Street, à l'angle de Dover Street • **Lower Manhattan**
M° 2-3 : Fulton ; M° 4-5-6 : Brooklyn Bridge/City Hall
Tél. 212-227-3344 • Du dimanche au vendredi de 11h45 à 23h ;
le samedi jusqu'à minuit • Alcools à partir de 5 $

Le plus vieil établissement de New York n'a jamais interrompu son service depuis 1794, même pendant la prohibition. À quelques rues de City Hall (l'hôtel de ville), ce lieu vaut le détour. On y mange très bien, une cuisine beaucoup plus élaborée que dans un bar typique, et la carte des vins, internationale, est inspirée.

Hangars à bière

Les *beer halls* ou *beer gardens,* comme les appellent les Américains, évoquent l'origine allemande de nombreux pionniers du nouveau continent. Ces hangars ou espaces en extérieur sont dédiés aux buveurs de bière : en général, les jeunes y viennent en grappes pour se saouler à moindre frais. Pour amateurs dionysiaques...

Gowanus Yacht Club

323 Smith Street, à l'angle de President Street • **Brooklyn/Carroll Gardens**
M° F-G : Carroll Street • Tél. 718-246-1321
Du lundi au vendredi de 16h à 4h ; le week-end de 14h à 4h • Alcools à partir de 2 $

C'est la cohue tout l'été dans ce bar en plein air, où l'on sert la bière à même le tonneau dans des gobelets en plastique. Ne vous y trompez pas : on se croit plus volontiers dans un garage aménagé que dans un yacht de luxe. On vient ici pour boire en bande dans une ambiance conviviale, plutôt étudiante.

Brooklyn Brewery

79 North 11th Street, au coin de Wythe Avenue • **Brooklyn/Williamsburg**
M° L : Bedford Avenue ; M° G : Nassau Avenue • Tél. 718-486-7422
www.brooklynbrewery.com • Le vendredi de 18h à 23h ; le samedi de midi à 18h
Bières à partir de 4 $

Depuis 1987, cette fabrique de bière confectionne la fameuse "Brooklyn Brewery", servie partout dans Brooklyn et même au-delà. Son logo est signé Milton Glaser, le créateur du slogan *I Love NY*. L'usine est uniquement ouverte au public le vendredi soir et le samedi, on y propose des visites guidées gratuites, entre 13h et 16h. En été, on y célèbre aussi la fête du cochon grillé : les dates précises sont à consulter sur le site Internet.

Pour boire heureux, buvons cachés !

Pour accéder au Back Room, *"speakeasy"* d'opérette, réminiscence des années de la prohibition, on doit se faufiler dans une allée déserte, passer une cour qui paraît ne mener nulle part, monter quelques marches, frapper à une porte et se glisser le long d'un couloir. Au bout du couloir, les gros canapés confortables devant le feu de cheminée sont souvent pris d'assaut. Ultra-cool !

THE BACK ROOM
102 Norfolk Street, entre Delancey et Rivington Streets
Lower East Side • M° F-J-M-Z : Essex-Delancey Streets
Tél. 212-228-5098 • Du mardi au samedi de 19h30 à 4h
Alcools à partir de 6 $

Les mieux organisés pourront réserver une table chez PDT (*Please Don't Tell* : "Ne le dites à personne"). Pour y accéder, il faudra contourner un stand de hot-dogs et une cabine téléphonique. Attention : il faut appeler avant 15h pour s'assurer de pouvoir entrer.

PDT (*PLEASE DON'T TELL*)
113 Street Marks Place, entre 1st Avenue et Avenue A
East Village • M° 6 : Astor Place ; M° L : 14th Street
Tél. 212-614-0386 • Du dimanche au jeudi de 18h à 2h ;
les vendredi et samedi jusqu'à 4h

Bars ethniques

Russian Samovar

256 West 52nd Street, entre Broadway et 8th Avenue • **Midtown West**
M° C-E : 50th Street • Tél. 212-757-0168 • www.russiansamovar.com
Tous les jours de 17h à minuit • Alcools à partir de 6 $

Des rangées de vodka infusées de toutes les saveurs possibles et imaginables – canneberge, abricot, poivre ou gingembre, parmi tant d'autres. Seuls les prix empêcheront de se mettre minable. Le patron Roman Kaplan, se vante d'être l'ami intime du Tout-New York et a accueilli chez lui les grandes stars du monde littéraire, de Kurt Vonnegut à Norman Mailer en passant par Susan Sontag. Tous les soirs, un pianiste joue des airs russes que les clients entonnent en chœur, passée une certaine heure. La cuisine traditionnelle est très bonne, mais pas donnée, contentez-vous d'un verre et du cadre : c'est déjà royal !

Chorus Karaoke

25 West 32nd Street, entre 5th Avenue et Broadway • 3e étage
Midtown East • M° B-D-F-N-Q-R-V-W : 34th Street/Herald Square ;
M° 6 : 33rd Street • Tél. 212-967-2244 • www.choruskaraoke.com
Du dimanche au jeudi de 18h à 2h ; du vendredi au samedi jusqu'à 4h
Alcools à partir de 6 $; Salle privée pour 4 personnes : 40 $ et 5 $ par personne supplémentaire

Les Coréens sont fous de karaoké : on trouvera dans le quartier des dizaines de clubs où pousser la chansonnette. Chorus est particulièrement apprécié pour son décor aux lignes épurées et pour ses salles privées à des prix raisonnables. Il a plus de 80 000 titres à son catalogue en français, en farsi ou encore en philippin.

Sake Bar Decibel

240 East 9th Street, entre 2nd et 3rd Avenue • **East Village**

M° 6 : Astor Place • Tél. 212-979-2733 • www.sakebardecibel.com

Du lundi au samedi de 18h à 3h ; le dimanche jusqu'à 1h • Alcools à partir de 5 $

Bar japonais authentique, il faut connaître pour trouver ce repaire à saké en sous-sol. Sombre comme une cave, on y déguste la meilleure sélection d'alcools de riz de New York, accompagnés de sashimis pour ceux qui auraient une petite faim au milieu de la nuit. Le dépaysement y est assuré.

La Linea

15 1st Avenue, entre 1st et 2nd Streets • **Lower East Side**

M° F-V : 2nd Avenue/Lower East Side • Tél. 212-777-1571

www.lalinealounge.com • Du dimanche au mardi de 17h à 2h ; du mercredi au samedi de 15h à 4h • Alcools à partir de 3 $ • *Happy hours* tous les jours jusqu'à 21h : tous les alcools à moitié prix

En plus de ses *happy hours* les plus avantageuses de Manhattan, La Linea propose des réductions en soirée : un panneau à l'entrée annonce les cocktails du jour en soldes. Les mojitos et margaritas s'allient à merveille aux sons qui sortent des bafles : tous les soirs, un DJ vient mixer et vous pourrez même danser.

Lounge attitude

Les lounges new-yorkais allient ambiance festive et détente sans l'hystérie des boîtes de nuit. *"Lounge"* en anglais signifiant "être étendu", l'expression traduit bien l'esprit des lieux : on pourra siroter son cocktail affalé ou même couché à l'antique, au rythme d'une musique ultracontemporaine.

Happy Ending
302 Broome Street, entre Eldridge et Forsyth Street • **Chinatown**
M° J-M-Z : Bowery • Tél. 212-334-9676 • www.happyendinglounge.com
Tous les jours de 18h à 4h • Alcools à partir de 6 $ • *Happy hours* le mercredi,
une semaine sur deux, de 23h à minuit : 2 verres pour le prix d'1
Dans Chinatown, ces anciens bains sur trois étages firent un temps office de maison close avant de se réincarner en lounge ultra-tendance. On remarquera les traces de cette étrange métempsychose dans les pièces aux sous-sols qui ont gardé les pommes de douche et les carrelages d'époque. Le site Internet annonce les soirées spéciales : lectures, concerts, DJ et autres ; certaines proposent un *open bar* ou des *happy hours* avantageuses. En plus, on y danse.

Nublu
62 Avenue Centre East, entre 4th et East 5th Streets • **East Village**
M° F-V : 2nd Avenue • Tél. 212-979-9925 • www.nublu.net
Tous les jours de 20h à 4h • Alcools à partir de 6 $
Paiement en liquide uniquement
Invisible de l'extérieur, seule une petite ampoule bleue indique l'entrée de ce lounge à la déco tropicale. Un DJ passe de la house ou de la musique latino pour créer une ambiance décontractée qui plaît aux foules les plus branchées. Le club a également une maison de disques, Nublu Records, dont les dernières parutions sont vendues sur place. Au fond du bar, le jardin paysager est un régal en été et un luxe d'autant plus appréciable pour les fumeurs.

Monkey Town

58 North 3rd Street, entre Wythe et Kent Avenues • **Brooklyn/Williamsburg**

M° L : Bedford Avenue • Tél. 718-384-1369 • www.monkeytownhq.com

Du dimanche au mercredi de 18h à 1h ; du jeudi au samedi jusqu'à 2h

Alcools à partir de 5 $

Dans la première salle, les 6 mètres de hauteur sous plafond sont sans cesse exploités pour réinventer la déco et permettre à un artiste d'exposer son installation temporaire, en suspension. Au fond, une pièce meublée de canapés est destinée aux soirées spéciales – DJs, projections ou autres – où trois murs servent d'écran. La sélection est toujours étonnante et le lieu, d'avant-garde, aussi cool que la population du quartier.

Bars à cocktails

Hormis le Manhattan, le meilleur choix en la matière à New York est le Martini. Ce grand classique de l'apéritif n'a rien à voir avec la liqueur vendue en France. C'est un cocktail qu'il faut savoir commander à l'américaine, c'est-à-dire avec précision, en répondant à une liste de questions : *straight-up* ("juste secoué dans de la glace") ou *on the rocks* ("avec des glaçons"), à la vodka ou au gin ("et de quelle marque ?"), avec une olive, du citron ou *a twist* ("un zeste") ? Mieux vaut être préparé !

The Boxcar Lounge

168 Avenue B, entre East 10th et East 11th Street • **East Village**

M° L : 1st Avenue • Tél. 212-473-2830 • www.boxcarlounge.com

Tous les jours de 16h à 4h • Alcools à partir de 5 $ • *Happy hours* : 2 verres pour le prix d'1, tous les jours jusqu'à 22h ; le week-end jusqu'à 20h

La spécialité de ce tout petit bar ultra-décontracté, c'est le saké/champagne : détonant ! Au fond, le jardin est chauffé et permet d'y fumer en hiver comme en été.

Cocktails : les musts

MANHATTAN
Whisky, vermouth et une pointe de bitters, orné d'une cerise confite et
d'un zeste d'orange, servi avec ou sans glaçons (*up* ou *on the rocks*) : un
grand classique new-yorkais, sucré et ambré. On dirait qu'on boit de l'or.

BLOODY MARY (MARIE SANGLANTE)
Vodka et jus de tomate épicé : cocktail du brunch pour se remettre de sa
petite gueule de bois, il est aussi recommandé avec les huîtres en apéritif.

COSMOPOLITAN
Vodka, triple sec, *Rose's lime juice* (sirop de citron vert) et jus de canneberge : c'est le cocktail de filles par excellence – comme dans la série
télévisée *Sex and the City* –, à la fois acide et sucré, il est aussi traître
qu'un sourire mal adressé. À celles qui aiment porter des talons hauts :
attention à la marche en sortant.

MARTINI
Vodka ou gin, avec une pointe de vermouth : il a l'avantage d'avoir le
goût de ce qu'on boit, de l'alcool fort en d'autres termes, pour les durs.
Parfait pour décompresser après une rude journée, il est très prisé des
banquiers. C'est le grand classique servi dans les *steakhouses*.

LONG ISLAND ICED TEA
Vodka, tequila, rhum, triple sec et coca : tout simplement assassin. Idéal
pour se retourner le cerveau.

Schiller's Liquor Bar

131 Rivington Street, à l'angle de Norfolk • **Lower East Side**
M° F-J-M-Z : Essex-Delancey Streets • Tél. 212-260-4555
www.schillersny.com • Du dimanche au mercredi de midi à 1h ; le jeudi jusqu'à 2h ;
les vendredi et samedi jusqu'à 3h • Cocktails à partir de 10 $

La spécialité du lieu, c'est le Delancey dont la recette est indiquée
sur le site pour ceux qui voudraient le refaire à la maison. Mais ça
n'aura jamais le même goût : sur place, l'ambiance donne toute
la saveur à la boisson. Un bistro-bar signé Keith McNally : le look
du lieu comme des clients est au glamour ultra-cool, c'est-à-dire
travaillé dans les moindres détails, tout en donnant une impression
de naturel absolu.

Circa Tabac

32 Watts Street, entre 6th Avenue et West Broadway • **Tribeca**
M° A-C-E : Canal Street • Tél. 212-941-1781 • www.circatabac.com
Tous les jours de 17h à 4h • Alcools à partir de 6 $

Comme au bon vieux temps, on peut fumer à loisir dans ce bar à
cigare dont la déco est inspirée des clubs de jazz des années 1920.
Cocktails recherchés et vins au verre très corrects y sont servis à
des prix raisonnables.

Frank's Cocktail Lounge

660 Fulton Street, à l'angle de South Eliott Place • **Brooklyn/Fort Greene**
M° G : Fulton Street ; M° C : Lafayette Street ; M° 2-3-4-5 : Nevins Street
Tél. 718-625-9339 • www.frankscocktaillounge.com
Du dimanche au jeudi de 15h à 2h ; les vendredi et samedi jusqu'à 4h
Alcools à partir de 4 $

Certes, le quartier s'est beaucoup embourgeoisé, mais Frank's a
réussi à accueillir les bobos sans perdre son ambiance *vintage*,
authentiquement kitsch et sa clientèle afro-américaine. Soirées
hip-hop le week-end et concerts de jazz le dimanche au sous-sol :
ça swingue grave.

Où faire une partie de bowling ?

Sortie américaine par excellence, que ce soit en famille ou entre
potes : se faire une partie de bowling à New York, un must pour
les amateurs.

Harlem Lanes

2116 Adam Clayton Powell Blvd, à l'angle de 126th et de 7th Avenue, 3e étage • **Harlem**
M° A-B-C-D : 125th Street/Saint Nicholas Avenue • Tél. 212-678-2695
www.harlemlanes.com • Du lundi au jeudi de 11h à 23h ; les vendredi et samedi
jusqu'à 3h ; le dimanche jusqu'à 21h • 5,50 $ la partie par personne en semaine ;
7,50 $ les week-ends

Ce bowling de Harlem est immense – 24 pistes de jeu – et agrémenté
d'un bar et d'un lounge. Le week-end, un DJ vient mixer et à toute
heure, des écrans géants passent des clips en boucle.

The Gutter

200 North 14th Street, entre Berry Street et Wythe Avenue • **Brooklyn/Williamsburg**
M° L : Bedford Avenue ; M° G : Nassau Avenue • Tél. 718-387-3585
Du lundi au jeudi de 16h à 4h ; du vendredi au dimanche de midi à 4h
Happy hours en semaine de 16h à 20h • 7 $ la partie par personne

Dans cette ancienne usine désaffectée, 8 pistes de bowling se partagent l'espace avec un bar adjacent. Le son est au rock indépendant,
et le look au *vintage* des années 1970.

Où faire un tournoi de billard ?

Les tables de billard ne manquent pas à New York : on trouvera des
salles entières destinées aux amateurs ou aux professionnels, mais
le mieux est de se payer une partie dans un bar en se faisant de
nouveaux amis au passage. Attention cependant, il faut savoir que
beaucoup d'Américains passent leurs années de fac à s'entraîner
dans les bars près des campus, et souvent, ceux qui squattent la
table peuvent rafler la partie en quelques coups de cane. Ne pas
parier d'argent reste le plus sûr.

Max Fish

178 Ludlow Street, entre Houston et Stanton Streets • **Lower East Side**
M° F-V : 2nd Avenue/Lower East Side • Tél. 212-529-3959 • www.maxfish.com
Tous les jours de 17h30 à 4h • Alcools à partir de 5 $

Branchée version grunge, c'est une adresse de choix pour les musiciens en tournée ou pour faire une partie de billard ou de flipper et
bien commencer la soirée. Le week-end, il faut s'attendre à trouver
le bar bondé sur trois rangées et la table de billard inaccessible,
mais en semaine, on pourra même profiter des expositions temporaires de photos. Ce lieu est idéal pour les célibataires, hommes ou
femmes, homos ou hétéros.

Brooklyn Inn

148 Hoyt Street, à l'angle de Bergen Street • **Brooklyn/Carroll Gardens**
M° F-G : Bergen Street • Tél. 718-522-2525 • Tous les jours de 16h à 4h ;
le week-end à partir de 14h • Alcools à partir de 4 $

Bar authentique du vieux Brooklyn, le comptoir en bois importé d'Allemagne date des années 1870. Ambiance d'époque et clientèle éclectique, la table de billard au fond se marie à merveille avec les mélodies du juke-box, installé entre les deux pièces. Une vieille cabine téléphonique complète le décor, bien qu'on ne puisse plus y passer d'appels.

Gay et lesbien

Hormis San Francisco, aucune ville américaine n'est aussi accueillante que New York pour les homosexuels. Les couples pourront sortir librement et sans complexe. Ceux qui préféreront une ambiance purement gay choisiront Chelsea, le quartier homo par excellence, où il existe tant d'options de bars qu'aucun n'a été sélectionné ici – ils sont trop faciles à trouver. Pour info, le site www.gaycenter.org propose des activités culturelles et des soirées spéciales pour la communauté homosexuelle.

Barrage

401 West 47th Street, à l'angle de 9th Avenue • **Midtown West**
M° C-E : 50th Street • Tél. 212-586-9390 • Tous les jours de 17h à 4h
Alcools à partir de 6 $ • Entrée gratuite • *Happy hours* : réduction de 2 à 3 $
sur les boissons de 17h à 20h

Les canapés et les poufs alignés le long des baies vitrées dans une déco stylisée peuvent être déplacés pour accueillir un couple ou un groupe d'amis. La clientèle branchée sans l'être à outrance, plutôt jolie à regarder, est invitée à échanger ses numéros : de petites cartes et des crayons sont à disposition partout dans la salle.

The Cock
29 2nd Avenue, entre East 1st et 2nd Streets • **East Village**
M° F-V : 2nd Avenue/Lower East Side • Tél. 212-777-6254
Tous les jours de 23h à 4h • Alcools à partir de 4 $
Pour ceux qui ne comprendraient pas le nom de cet after – *cock* désigne dans un langage peu châtié la partie génitale d'un homme – l'explication pourrait tenir lieu de description. Dans une ambiance de *back room*, on y va pour chasser du mâle, avec, selon ses exigences, la quasi-certitude de ne pas rentrer bredouille. Femmes s'abstenir.

Cubby Hole
281 West 12th Street, à l'angle de West 4th Street • **West Village**
M° A-C-E : 14th Street ; M° L : 8th Avenue • Tél. 212-243-9041
Tous les jours de 16h à 4h ; le week-end à partir de 14h
Alcools à partir de 4 $ • *Happy hours* du lundi au samedi jusqu'à 19h ;
le mardi, la Margarita est à 2 $
En majorité lesbien, mais ouvert à tout le monde, le Cubby Hole est aussi décontracté qu'accueillant, à tel point qu'on se croirait dans une soirée privée dans laquelle on se serait incrusté. Les *happy hours* y sont hautement recommandées.

Bars avec vue

Bentley Hotel Bar
500 East 62 Street, à l'angle de York Avenue • 21e étage • **Upper East Side**
M° 4-5-6-N-R-W : Lexington Avenue/59th Street ; M° F : Lexington Avenue/63rd Street
Tél. 212-644-6000 • Tous les jours de 17h30 à minuit
Alcools à partir de 7 $
Au 21e étage de l'hôtel Bentley, face à l'East River, ce lounge propose une vue à 360° sur Midtown, le fleuve et Roosevelt Island. Une terrasse tout autour permet de prendre l'air en été et de fumer. L'ambiance, contrairement à la plupart des bars d'hôtels, n'a rien de chichi. Les snacks sont aussi à des prix très raisonnables.

Mé Bar, dans l'hôtel La Quinta

17 West 32nd Street, entre 5th Avenue et Broadway • 14e étage
Midtown East • M° B-D-F-N-Q-R-V-W : 34th Street/Herald Square ;
M° 6 : 33rd Street • Tél. 212-290-2460 • www.mebarnyc.com
Tous les jours de 17h30 à minuit • *Happy hours* tous les jours de 17h30 à 20h :
1 $ de réduction • Cocktails à partir de 7 $

La vue est imprenable : l'Empire State Building surplombe la terrasse chauffée, ouverte toute l'année, et de fait, particulièrement appréciée par les fumeurs. Le mobilier de plage donne vraiment l'impression d'être en vacances : ceux qui ont école le lendemain semblent gaiement ignorer ce détail devant leurs bières à 4 $.

The Delancey

168 Delancey Street, à l'angle de Clinton Street • **Lower East Side**
M° F-J-M-Z : Essex-Delancey Streets • Tél. 212-254-9920
Tous les jours de 17h à 4h • Alcools à partir de 6 $

La terrasse chauffée toute l'année fait face au Williamsburg Bridge et aux immeubles de Downtown dans une ambiance tropicale, arborée de bambous et de cannisses. En sous-sol, un DJ mixe dans la partie club. Les mardis de 19h à 22h, la soirée barbecue *All You Can Eat* ("tout ce que vous pourrez manger") à 5 $ est aussi économique que prisée. Quand il y a trop de monde au bar, on peut se servir directement au distributeur une Margarita glacée à 8 $ le verre.

Giando on the Water

400 Kent Avenue, à l'angle de Broadway • **Brooklyn/Williamsburg**
M° J-M-Z : Marcy Avenue • Tél. 718-387-7000 • Du lundi au vendredi de midi à 23h ;
le week-end de 16h à minuit • Alcools à partir de 6 $

Tout le monde connaît le River Café et sa vue extraordinaire sur les gratte-ciel de Downtown, mais s'il est inabordable pour dîner, les verres n'y sont pas non plus spécialement bon marché, et les hommes doivent porter une veste pour y entrer. Giando's propose une alternative ultrakitsch et vraiment pas chère avec exactement la même vue, et en prime, une ambiance *Soprano* (la série télé) hilarante.

New York

SORTIR

Clubs

Les clubs ouvrent et ferment à la vitesse de la lumière à New York et, telle une étoile filante, la nouvelle boîte la plus branchée a déjà disparu alors même que l'on s'y précipitait encore quelques jours plus tôt... Pour les adeptes de la nuit, le mieux est de se renseigner régulièrement, sachant que toute information vieille de plus d'un mois est déjà tombée en désuétude.

Consultez le site newyork.going.com, où vous trouverez une sélection de soirées gratuites. Et pour être tenu au courant des tendances du moment, on peut s'inscrire gratuitement sur la lettre d'information de Daily Candy : www.dailycandy.com.

The Frying Pan

Pier 63, North River, à l'angle de West 26th Street et du West Side Highway
Chelsea • M° C-E : 23rd Street • Tél. 212-989-6363 • www.fryingpan.com
Tous les jours de 17h30 à minuit • Alcools à partir de 4 $

Construit en 1929, ce bateau a été repêché au fond de la baie Cheesapeake, puis remorqué jusqu'à Chelsea où il a été converti en lieu de soirée. À bord, on peut boire un verre (dans un gobelet en plastique) en admirant la vue sur le fleuve à l'étage avant de descendre dans les cales s'agiter aux sons d'un DJ branchouille. Seul inconvénient : ce club ferme tôt, mais en se promenant dans le quartier, on aura l'embarras du choix pour trouver un *after*.

Webster Hall

125 East 11th Street, entre 3rd et 4th Avenues • **East Village**
M° L : 3rd Avenue ; M° 6 : Astor Place • Tél. 212-353-1600 • www.websterhall.com
Entrée autorisée à partir de 19 ans, mais il faut avoir 21 ans pour consommer
Gratuit pour les filles le jeudi ; 15 $ en réservant et 20 $ sur place
Le bon plan : avant minuit, on peut entrer et prendre un verre pour 1 $
en s'inscrivant sur le site websterhall.com/dollardaze

Un club immense – sur trois étages – où de nombreuses stars du rock comme de l'électro se sont produites, un des lieux incontournables de la vie nocturne de l'East Village.

S.O.B.'s

204 Varick Street, à l'angle de West Houston Street • **West Village**
M° 1 : Houston Street • Tél. 212-243-4940 • www.sobs.com
Du dimanche au jeudi de 19h à 2h ; les vendredi et samedi de 19h à 5h
Entrée payante selon les soirées : 10 à 25 $ • Alcools à partir de 5 $

Salsa, reggae, bossa-nova ou rock'n'roll, S.O.B.'s (pour *Sound of Brazil*) est l'adresse pour profiter de la musique du monde. Concerts et club au sous-sol promettent des soirées animées. Les *vibes* sont au langage international de la *dance*.

Sullivan Room

218 Sullivan Street, entre 3rd Street et Bleecker Street • **Greenwich Village**
M° A-C-E-B-D-F-V : West 4th Street ; M° 1 : Houston Street
Tél. 212-252-2151 • www.sullivanroom.com
Du mercredi au dimanche de 22h à 5h • Entrée payante : 5 à 20 $
suivant la programmation • Réserver assure toujours une réduction

Ceux qui suivent l'actualité des DJs dans le monde reconnaîtront plus d'un nom dans la programmation de cette salle sans prétention, accessible tant par ses prix que par le style de la clientèle. Ceux qui n'auraient d'autre ambition que de danser seront également satisfaits.

Sway

305 Spring Street, entre Hudson et Greenwich Streets • **Soho**
M° 1 : Houston Street • Tél. 212-620-5220 • www.swaylounge.com
Du mercredi au lundi de 22h à 4h • Entrée gratuite • Alcools à partir de 8 $

Vieux comme Mathusalem dans les standards new-yorkais, ce tout petit club à la déco marocaine a gardé son cachet au fil des années. Vu l'espace réduit, le videur est particulièrement sélectif, mais une fois à l'intérieur, les soirées house avec aux platines des DJs du monde entier ne feront pas regretter le mal qu'on s'est donné pour passer la porte.

Bembe

81 South 6th Street, au coin de Berry Street • **Brooklyn/Williamsburg**
M° L : Bedford Avenue ; M° J-M-Z : Marcy Avenue • Tél. 718-387-5389
www.bembe.us • Tous les jours de 19h30 à 4h • Entrée gratuite • Alcools à partir de 6 $

Juste à la sortie du pont de Williamsburg, les deux étages de Bembe transportent dans un univers exotique, voire tropical. Soirées DJ ou concerts de djembés, salsa ou reggae, le site annonce le thème de la nuit. Tout le monde se déhanche – certains remarquablement bien – et l'ambiance est à la fête multiculturelle. Dans ce lieu sans prétention, le videur ne regarde personne de travers, ce qui est aussi rare qu'appréciable.

Concerts

Tout musicien – de jazz, de rock, de musique baroque, de bluegrass, de funk, de reggaeton, la liste est trop longue pour continuer – rêve de se produire à New York et de fait, ce ne sont pas les salles qui manquent. Il faudrait avoir le don d'ubiquité pour aller à ne serait-ce qu'un dixième des concerts qui ont lieu en une seule soirée. Le site de *Time Out* – www.timeout.com/newyork – propose une sélection chaque jour ou pour la semaine. Pour les grandes salles qui accueillent les stars, on trouvera des billets à prix réduits sur www.entertainment-link.com/music.asp, voire des billets gratuits sur www.clubfreetime.com. Ci-dessous, une liste d'adresses où l'on peut tenter sa chance au hasard de la programmation.

Rock'n'roll

95 Arlene's Grocery

95 Stanton Street, entre Ludlow et Orchard Streets • Lower East Side
M° F-V : 2nd Avenue/Lower East Side • Tél. 212-995-1652
www.arlenesgrocery.net • Concerts tous les soirs entre 19h et 23h
Entrée gratuite le lundi ; les dimanche, mardi, mercredi et jeudi : 8 $;
les vendredi et samedi : 10 $

Dans une ancienne bodega (une épicerie latino), Arlene's Grocery a gardé l'esprit du cadre. Pas toujours aussi sélective qu'on l'espérerait, mais toujours animée, la scène est restée assez punk – les Ramones ont toujours un *following*. Le samedi de 15h à 19h, un après-midi *open mic* permet à tout un chacun de se produire.

The Living Room

154 Ludlow Street, entre Rivington et Stanton Streets • Lower East Side
M° F-J-M-Z : Essex-Delancey Streets • Tél. 212-533-7235
www.livingroomny.com • Concerts du mardi au dimanche de 19h à 22h
Entrée gratuite (sauf exception), mais consommation obligatoire

Ici, l'ambiance est intime, comme le nom du lieu l'annonce. La musique est acoustique – du rock alternatif à la folk, en passant par la country – et on y trouvera surtout de jeunes paroliers en petite formation.

Union Hall

702 Union Street, à l'angle de 5th Avenue • Brooklyn/Park Slope
M° M-R : Union Street • Tél. 718-638-4400 • www.unionhallny.com
Concerts tous les jours de 18h à 22h • Entrée gratuite ou de 5 à 12 $

Dans un bar de plus de 500 m² au cœur de Park Slope, cette salle présente en concert de jeunes musiciens de rock acoustique qui débutent. En hiver, on peut s'installer près de la cheminée et en été, profiter de la cour intérieure. En dehors des concerts, il est également possible de prendre un verre en admirant les rayonnages de l'immense bibliothèque au milieu de l'espace, ou de s'offrir une partie de *bocce*, la pétanque italienne.

Pete's Candy Store

709 Lorimer Street, à l'angle de Richardson Street • **Brooklyn/Williamsburg**
M° L : Lorimer Street/Metropolitan Avenue • Tél. 718-302-3770
www.petescandystore.com • Concerts tous les soirs de 20h à minuit • Entrée gratuite
Dans une ambiance kitsch travaillée, cet ancien magasin de bonbons a été reconverti en *diner*, puis enfin en bar. La salle du fond, aménagée comme un wagon de train, porte la griffe experte du propriétaire qui, quand il n'est pas derrière le comptoir, fabrique des décors de théâtre. La scène présente des groupes de rock underground à une clientèle typiquement Williamsburg, soit jeune et branchée. Le lundi soir, des *stand-up comedies* (voir p. 130) alternent avec un *Spelling Bee* : une dictée spécialement déjantée.

Jazz

Small's

183 West 10th Street, entre 7th Avenue South et West 4th Street • **West Village**
M° A-B-C-D-E-F-V : West 4th Street • Tél. 212-252-5091
www.smallsjazzclub.com • Concerts tous les soirs de 19h30 à 4h • Entrée 20 $
avec un verre offert ; gratuit après 1h30
Jazz innovant ou blues inspiré, ce minuscule club accueille des musiciens de toutes les générations et de tous les horizons sur une scène où l'on s'étonnera de voir s'installer une contrebasse : un véritable défi de l'espace.

Showman's Bar

375 West 125th Street, entre Saint Nicholas et Morningside Avenue • **Harlem**
M° A-B-C-D : 125th Street • Tél. 212-864-8941
Concerts du mardi au jeudi à 20h30 et 22h ; les vendredi et samedi à 23h30 et 1h30
Entrée gratuite du mardi au jeudi ; les vendredi et samedi : 5 $
Depuis 1942, ce bar accueille des jazzmen aux accents de blues dans un décor authentique, tout en bois et en marbre. La salle est minuscule, mais les musiciens s'en accommodent très bien et l'ambiance n'en est que plus chaleureuse.

Lenox Lounge

288 Lenox Avenue, à l'angle de 124th et 125th Streets • **Harlem**

M° 2-3 : 125th Street • Tél. 212-427-0253 • www.lenoxlounge.com

Concerts tous les soirs à horaires variables, entre 19h et 2h30 • Entrée : 10 à 20 $

Cette cathédrale absolue du jazz a accueilli ses plus grandes légendes : Billie Holiday, Miles Davis, John Coltrane et tant d'autres. La Zebra Room, tel que l'on surnomme le club, figure dans les écrits de James Baldwin et de Langston Hughes, et on dit même que Malcom X était un habitué. Outre les fantômes, les musiciens bien vivants qui s'y produisent n'ont quasiment rien à envier à leurs ancêtres. La qualité de la programmation est irréprochable et ceux qui voudraient rester toute la soirée pourront aussi commander à dîner des plats typiquement américains et sudistes à des prix très raisonnables.

Musiques du monde

Camaradas el Barrio

2241 1st Avenue, à l'angle de East 115th • **East Harlem**

M° 6 : 116th Street • Tél. 212-348-2703 • www.camaradaselbarrio.com

Concerts du mardi au samedi de 19h à 22h • Entrée gratuite

Au cœur de Spanish Harlem, chez Camaradas, on entendra du hip-hop, du reggaeton ou des groupes de musique portoricaine contemporaine inspirée des folklores d'antan. Le mardi, la carafe de sangria est à 15 $ pour les filles et tous les jours, la cuisine est authentique, proposant des plats typiques à petit prix.

Barbès

376 9ᵗʰ Street, à l'angle de 6ᵗʰ Avenue • **Brooklyn/Park Slope**
M° F : 7ᵗʰ Avenue • Tél. 347-422-0248 • www.barbesbrooklyn.com
Concerts, lectures ou projections tous les soirs de 19h à 22h
Entrée le plus souvent gratuite ou à 10 $

Ce bar situé en plein Park Slope a été baptisé en hommage au quartier le plus ethniquement varié de Paris. On y présente du jazz expérimental et des musiques du monde entier. La salle du fond, étriquée juste comme il faut, répercute les vibrations de la scène dans une atmosphère intimiste idéale pour les solos. Le mardi à 21h, la "Slavic Soul Party" propose un mélange de funk américaine et de musique gitane traditionnelle avec une pointe slave, une touche mexicaine et un léger goût asiatique, le tout sur des sons de cuivres : *worldly*, ce n'est ici rien de le dire.

Southpaw

125 5ᵗʰ Avenue, à l'angle de Sterling Place • **Brooklyn/Park Slope**
M° R-W : 23ʳᵈ Street • Tél. 718-230-0236 • www.spsounds.com
Concerts tous les jours toutes les heures • Entrée : 5 à 25 $

Sur plus de 500 m², Southpaw a investi l'espace d'un ancien magasin discount pour présenter une scène alternative de musiciens et DJs du monde entier, dans tous les registres possibles. Hip-hop, pop, funk, reggae ou rock, la salle vibre tous les soirs et on y danse jusque tard. Parmi les invités de marque, on notera Cat Power, Clap Your Hands Say Yeah, Supergrass et Mogwai. Un samedi sur deux, la soirée The Rub, animée de 22h à 4h par deux DJs de hip-hop, est connue comme une des meilleures fêtes de Brooklyn (c'est-à-dire de New York !).

Galapagos Artspace
16 Main Street, à l'angle de Water Street • **Brooklyn/Dumbo**
M° F : York Street ; M° A-C : High Street • Tél. 718-782-5188
www.galapagosartspace.com • Événements tous les jours entre 19h et 23h
Prix de l'entrée variable

Centre d'art, bar, salle de concerts, scène de théâtre, de *comedy*, cabaret, club, ce lieu est un tout-en-un installé dans un immense espace industriel réparti sur trois étages. L'entrée du bar est gratuite, mais les performances sont généralement payantes.

Musique classique

Les institutions telles le **Carnegie Hall** (www.carnegiehall.org ; Tél. 212-247-7800), le **New York Philharmonic** (www.nyphil.org ; Tél. 212-875-5656) ou le **Metropolitan Opera** (www.metoperafamily.org ; Tél. 212-362-6000) proposent le jour de la représentation des places à prix réduits (de 10 à 20 $) à acheter directement au guichet quelques heures avant le lever de rideau, ou par téléphone aux numéros indiqués plus haut. Les étudiants de moins de 29 ans ont également droit à une réduction, selon le spectacle.
Tous les jours, la ville foisonne de concerts gratuits, à découvrir selon les dates de son séjour sur ce site : www.clubfreetime.com.

Bargemusic
Fulton Ferry Landing, au sud de Old Fulton Street sur le fleuve
Brooklyn/Brooklyn Heights • M° A-C : High Street ; M° F : York Street ;
M° 2-3 : Clark Street ou par water-taxi • Tél. 718-624-2083 • www.bargemusic.org
Concerts du mercredi au samedi à 20h ; le dimanche à 16h • Billets : 35 à 40 $
pour les adultes ; 20 à 25 $ pour les étudiants • Consulter le site Internet pour
repérer les concerts gratuits

Sur un bateau amarré aux berges de l'East River, on entendra jouer des musiciens célèbres comme de jeunes inconnus dans une salle intime et confortable qui s'y prête à merveille, sans compter la vue sur Manhattan – imprenable.

Comedy clubs

Un grand classique dans le répertoire des soirées new-yorkaises, les clubs de one-man-show, cabaret, burlesque et autres fantaisies comiques pullulent de Harlem à Brooklyn. On trouvera une bonne douzaine de spectacles chaque jour sur le site de Time Out par exemple : www.timeout.com/newyork/section/comedy. Ci-après, une adresse incontournable dans le registre.

Upright Citizens Brigade Theatre

307 West 26th Street, entre 8th et 9th Avenues • **Chelsea**
M° C-E : 23rd Street ; M° 1 : 28th Street • Tél. 212-366-9176
www.ucbtheatre.com • Performances tous les soirs de 19h à 0h30 • Entrée : 5 à 10 $

Au départ, une école du rire avec deux adresses (une à New York et l'autre à Los Angeles) qui prépare à l'improvisation, à l'écriture de sketches et au *one-man-show*. Les élèves les plus doués sont invités à se donner en spectacle dans la salle de 150 places au sous-sol. On n'ira pas pour le confort du lieu, mais pour l'ambiance jeune, innovante et inspirée et pour s'offrir une bonne dose d'hilarité.

Soirées littéraires

On pourra entendre son auteur américain contemporain préféré donner des lectures publiques dans de nombreuses librairies et dans les cafés à travers Manhattan et Brooklyn. Un calendrier complet est disponible sur www.timeout.com ou www.nymag.com.

92nd Street Y

1395 Lexington Avenue, à l'angle de East 92nd Street • **Upper East Side**
M° 6 : 96th Street • Tél. 212-415-5500 • www.92y.org
Lectures et conférences tous les soirs à 19h et 20h
Entrée payante : 10 $ pour les moins de 35 ans

Fondé en 1874 et adressé à l'origine à la communauté juive, ce lieu est devenu un centre culturel incontournable et un des piliers de l'intelligentsia new-yorkaise. Les plus grands écrivains de leur génération s'y produisent chaque soir dans une ambiance aussi sérieuse que prestigieuse.

Bowery Poetry Club

308 Bowery Street, entre Houston et Bleecker Street • **East Village**
M° F : 2nd Avenue ; M° 6 : Bleecker Street • Tél. 212-614-0505
www.bowerypoetry.com • Tous les jours de 10h à 2h ; le week-end de 11h à 4h
Alcools à partir de 4 $ • *Happy hours* en semaine de 17h à 20h : 2 verres pour le prix d'1

Ce café poésie a été fondé par et pour la Beat Generation : on peut y voir lire ou jouer de jeunes auteurs inspirés. Depuis plus de vingt-cinq ans, le Bowery maintient le cap et ce lieu est un des rares à encore respirer l'ambiance authentique du New York littéraire. Au menu, des cocktails poésie ajoutent une petite touche kitsch : le *Naked Lunch Punch*, par exemple ou le *Allen Gin-sberg*. Le site permet de s'informer sur ces soirées lectures.

Nuyorican Poets Cafe

236 East 3rd Street, entre les Avenues B et C • **Lower East Side**

M° F-V : 2nd Avenue/Lower East Side • Tél. 212-505-8183

www.nuyorican.org • Alcools à partir de 3 $ • Entrée payante : 5 à 10 $

Ce lieu est surtout connu pour ses soirées slam du vendredi soir, mais le reste du temps, il propose également des concerts, des lectures et des *stand-up comedy* (*one-man-show*) ou des expositions en général d'artistes latinos ou de minorités peu représentées dans la culture *mainstream*. L'ambiance ultra-décontractée est à l'encouragement : on n'y va pas pour huer !

Théâtre

La scène dramatique new-yorkaise se divise en trois catégories : "Broadway", "Off-Broadway" et "Off-off Broadway". À Broadway, on trouve les salles de plus de 500 places aux alentours de Times Square ; la programmation y est archi-commerciale (on y verra toutes les grandes comédies musicales ou les stars de cinéma qui s'essaient aux planches) et les places sont très chères. Au "Off-Broadway", des salles de 100 à 499 places proposent souvent des programmes plus intellos et moins spectaculaires. Et enfin, "Off-off Broadway" concerne des salles de moins de 100 places, où on trouvera de tout et de n'importe quoi, tant d'excellentes productions de classiques que de jeunes troupes qui font leurs armes et c'est en général plutôt bon marché.

Pour trouver une sélection de spectacles sur Broadway, consulter le site : www.theatermania.com/new-york. Pour disposer d'une liste plus pointue des spectacles programmés, les articles du *New Yorker* sur www.newyorker.com donnent envie ou découragent en quelques lignes.

Ci-après, quelques théâtres d'avant-garde (Off-Broadway ou Off-off Broadway) dont la programmation est fiable.

Spectacles à moitié prix : les stands TKTS

WWW.TDF.ORG

Ces kiosques proposent des réductions de 25 % à 50 % (+ 3 $ de commission par siège) sur les places des théâtres de Broadway, à acheter le jour du spectacle à l'une des trois adresses suivantes. Attention, ils n'acceptent que le cash !

TIMES SQUARE

Sur Broadway, à l'angle de West 47th Street • M° 1-2-3-7-N-Q-R-S-W : Times Square/42nd Street • Du lundi au samedi de 15h à 20h pour les programmes du soir ; du mercredi au samedi de 10h à 14h pour les matinées ; le dimanche de 11h à 15h

SOUTH STREET SEAPORT

199 Water Street, à l'angle de Front et John Streets M° 2-3-4-5-J-M-Z : Fulton Street ; M° A-C : Broadway/Nassau Du lundi au samedi de 11h à 18h ; le dimanche jusqu'à 16h ; matinées vendues la veille

DOWNTOWN BROOKLYN

1 MetroTech Center, à l'angle de Jay Street et de Myrtle Street Promenade • M° A-C-F : Jay Street/Borough Hall Du mardi au samedi de 11h à 18h ; matinées vendues la veille

The Kitchen

512 West 19th Street, entre 10th Avenue et West Street • Chelsea
M° C-E : 23rd Street • Tél. 212-255-5793 • www.thekitchen.org • 12 à 20 $
Centre d'art et salle de spectacle, The Kitchen est une des institutions de la scène avant-gardiste new-yorkaise, en plein Chelsea, le quartier des galeries d'art contemporain. Danse ou théâtre, le programme est toujours aventureux. Cet endroit est parfait pour les curieux qui n'ont pas peur du bizarre.

The Public Theater

425 Lafayette Street, à l'angle de Astor Place • **Noho**

M° 6 : Astor Place • Tél. 212-539-8500 • www.publictheater.org

Du mardi au dimanche • Tarif de dernière minute (à acheter au guichet une heure avant le lever de rideau) : 20 $ • Tarif étudiant : 25 $

Premier théâtre des États-Unis pour les reprises de Shakespeare, le Public Theater présente également des œuvres originales en privilégiant toujours l'innovation. Joe's Pub, un bar-lounge-salle de concert voisin, donne des spectacles plus avant-gardistes encore, en plus de soirées cabaret, burlesque, comédie ou des concerts de world music.

Depuis plus de cinquante ans, le théâtre organise aussi le festival annuel *"Shakespeare in the Park"*, des œuvres de Shakespeare se jouent gratuitement tout l'été au Delacorte Theatre (en plein air, au cœur de Central Park, à hauteur de West 81st Street : www.centralpark.com/pages/attractions/delacorte-theatre.html).

La Mama

74A East 4th Street, entre 1st et 2nd Avenues • **East Village**

M° 6 : Astor Place ; M° F-V : 2nd Avenue/Lower East Side

Tél. 212-475-7710 • www.lamama.org • Relâche le lundi

15 à 25 $; réductions de 5 $ pour les étudiants et les seniors

Malgré sa petite taille, il s'agit peut-être de l'un des plus grands théâtres expérimentaux de New York. Ramassé sur trois (très petits) étages d'un immeuble de l'East Village, la scène au sous-sol a accueilli Peter Brook à ses débuts, Wallace Shawn en solo et des premières de Beckett. Aujourd'hui, la programmation, toujours insolite et souvent tournée vers l'étranger, est *hit or miss* (ça passe ou ça casse), mais l'essentiel, c'est d'essayer.

St. Ann's Warehouse

38 Water Street, à l'angle de Dock Street, devant l'East River, Brooklyn
Brooklyn/Dumbo • M° A-C : High Street ; M° F : York Street • Tél. 718-254-8779
www.stannswarehouse.org • 10 à 40 $

À la pointe de l'avant-garde, ce nouvel espace est situé sur les berges
de l'East River à Dumbo. S'y produisent des pièces contemporaines
ou des reprises du répertoire réinventées avec audace et flair.
Mabou Mines ou le Wooster Group sont parmi les habitués du lieu.

Au bonheur des esthètes

Véritable centre culturel, le BAM (pour les intimes) est bien plus qu'un
théâtre. Dans ses salles de cinéma, on découvrira les nouveautés du
moment comme des rétrospectives de grands maîtres. Au café, on écou-
tera des concerts de musique du monde devant un verre de vin ou en
dînant. Sur une des deux scènes (Opera House et Harvey Theater), on
hallucinera, tant devant la qualité de la production – digne des *blockbus-
ters* de Broadway – que devant les ambitions de la programmation. Quel
que soit le spectacle, on ne peut pas se tromper. Qu'on aime ou pas, tout
y a de l'intérêt. Bob Wilson, William Forsythe, Mark Morris, Peter Brook
ou Pina Bausch comptent parmi les invités récurrents.

THE BROOKLYN ACADEMY OF MUSIC
30 Lafayette Avenue, entre Saint Felix Street et Ashland Place
Brooklyn/Fort Greene • M° 2-3-4-5 : Atlantic Avenue ; M° D-M-N-R :
Pacific Street ; M° C : Lafayette Avenue ; M° G : Fulton Street
Tél. 718-636-4100 • www.bam.org • Concerts gratuits ;
cinéma : 11 $; places de théâtre à partir de 15 $

New York

DÉCOUVRIR

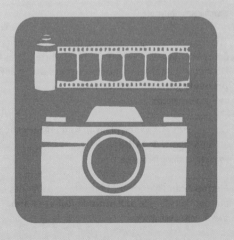

On peut découvrir New York sans dépenser un penny avec de bonnes baskets et les yeux grands ouverts, en parcourant la ville suivant son quadrillage, en repérant les gratte-ciel comme autant de compas. Voici quelques pistes pour faire en sorte de ne pas perdre le nord.

Festivals et fêtes de rue : agenda des rendez-vous culturels

En janvier ou février, le nouvel an chinois se fête en fanfare dans le quartier : parades, performances et concerts de rue.
www.chinatown-online.com

En mars, Saint Patrick's Day Parade fera virer la ville au vert sur plus de 40 *blocks*...
www.saintpatricksdayparade.com/nyc

En mai, tout le monde se met au vélo : la ville encourage le cyclisme, propose des circuits spéciaux et des soirées à thème autour des deux roues écolos.
www.bikemonthnyc.org

Tribeca Film Festival : ce festival de court et long métrages indépendants est initié par Robert De Niro (entre autres célébrités) dans Downtown Manhattan, **aux alentours du 20 avril et jusqu'aux premiers jours du mois de mai**.
www.tribecafilm.com

Des concerts gratuits en plein air sont organisés au Pier 17 du South Street Seaport, **de juillet à août**.
www.seaportmusicfestival.com

Metropolitan Opera Park Concerts : trouver des concerts gratuits partout dans la ville **aux mois de juillet et août**.
www.metoperafamily.org

Tout l'été à Bryant Park – de juin à août – concerts gratuits, cinéma en plein air et performances se déroulent sur la pelouse.
www.bryantpark.org

Le dernier dimanche de juin, la Gay Pride prend d'assaut la 5th Avenue, sans compter le West Village et Chelsea.
www.nycpride.org

En été, le MoMA organise des concerts gratuits dans son jardin.
www.moma.org/calendar

Celebrate Brooklyn ! Événements, performances et concerts gratuits ont lieu à travers la ville.
www.bricartsmedia.org

PS1 Warm Up : soirées dansantes, concerts et DJs sont organisés sur le parvis du centre d'art contemporain **en été**.
www.ps1.org

Harlem Week : **durant tout l'été**, un festival ethnique et culturel se déroule dans les rues de Harlem.
www.harlemweek.com

The Fringe NYC Festival : dans le Lower East Side, ce théâtre d'avant-garde propose des soirées à petit prix.
www.fringenyc.org

Lincoln Center Out of Doors : concerts et événements gratuits ont lieu en extérieur **tout au long du mois d'août**.
www.lincolncenter.org

DUMBO Art Under the Bridge : portes ouvertes de plus de 600 ateliers d'artistes et galeries du quartier sous les ponts de Manhattan et de Brooklyn.
www.dumboartscenter.org/festival.html

Le 31 octobre, suivre la parade d'Halloween dans toutes les grandes avenues de New York et de Brooklyn.

Assister au marathon de New York en direct au mois de **novembre**.
www.nycmarathon.org

New York Comedy Festival : **en novembre**, aller voir des spectacles humoristiques gratuits ou pas chers à Manhattan et Brooklyn.
www.nycomedyfestival.com

Juste avant Noël, admirer à l'illumination du sapin de Noël du Rockefeller Center, entre 47th et 50th Streets, et 5th et 7th Avenues : une tradition new-yorkaise depuis 1933.
Renseignements par téléphone au 212-632-3975.

Les musées

Les collections des musées new-yorkais comptent parmi les plus belles du monde. On y admirera certains des plus grands chefs-d'œuvre de la Renaissance italienne, aussi bien que des installations contemporaines en passant par des œuvres mythiques de l'art moderne. Ces lieux sont dispersés aux abords de Central Park, sur Museum Mile et jusque dans le Queens. Dans cette rubrique, vous trouverez les incontournables avec, le cas échéant, les jours d'entrée gratuite.

Le City Pass, un bon plan pour économiser

Ce carnet de tickets donne un accès unique à six attractions dans New York :
• l'Observatoire de l'Empire State Building avec audioguide ;
• l'American Museum of Natural History ;
• le Guggenheim Museum ;
• le MoMA (Museum of Modern Art) ;
• le Met (Metropolitan Museum of Art) et les Cloisters (à condition de s'y rendre dans la même journée), avec une réduction de 1 $ sur la location de l'audioguide ;
• une croisière de 75 à 120 minutes autour de l'île de Manhattan, ou un trajet et une entrée spéciale coupe-file pour la Statue de la Liberté et Ellis Island.

Au final, l'utilisation du *City Pass* permet d'économiser près de 50 % du prix que vous payeriez en achetant séparément les billets d'entrée à toutes ces attractions. Il est valable 9 jours à partir du premier jour d'utilisation et en vente sur le site : www.citypass.com.

79 $ pour les adultes ; 59 $ pour les jeunes de moins de 17 ans

Sur Museum Mile

The Museum Mile est la portion de 5th Avenue qui s'étend de 82nd à 105th Street, rebaptisée pour promouvoir les musées du quartier. Une fête de rue est organisée chaque année au mois de juin. À ce moment-là, l'entrée est gratuite dans les 9 musées participants. Consultez www.museummilefestival.org pour connaître la date.

The Jewish Museum

1109 5th Avenue, à l'angle de East 92nd Street • M° 4-5-6 : 86th Street ;
M° 8 : 96th Street • Tél. 212-423-3200 • www.thejewishmuseum.org
Ouvert tous les jours sauf le mercredi, de 11h à 17h45 (jusqu'à 20h le jeudi et
jusqu'à 16h le vendredi en hiver) • 12 $ adultes ; 10 $ seniors ; 7,50 $ étudiants

Dans l'un des plus grands musées juifs du monde, les expositions alternent entre évocations historiques, rétrospectives artistiques, tradition, identité et arts plastiques. Vu le nombre d'artistes qui partagent les origines des fondateurs de cette institution culturelle, on a souvent des chances de tomber sur une expo de maître.

Solomon R. Guggenheim Museum

1071 5th Avenue, à l'angle de East 89th Street • M° 4-5-6 : 86th Street
Tél. 212-423-3500 • www.guggenheim.org • Ouvert tous les jours sauf le jeudi,
de 10h à 17h45 (jusqu'à 19h45 le samedi) • 18 $ adultes ; 15 $ étudiants et seniors ;
Les samedis *Pay What You Wish* ("Payez ce que vous voulez") de 17h45 à 19h45

L'immeuble de Frank Lloyd Wright est quasiment aussi célèbre que les collections permanentes du Guggenheim, qui ne sont pas des moindres en art moderne : Brancusi, Braque, Calder, Chagall, Robert Delaunay, Giacometti, Kandinsky, Klee, Léger, Miró, Picasso, Van Gogh. Les installations temporaires sont présentées le long de la rampe en spirale au milieu de l'espace, à monter ou à descendre selon l'exposition.

Neue Galerie New York

1048 5th Avenue, à l'angle de East 86th Street • M° 4-5-6 : 86th Street

Tél. 212-628-6200 • www.neuegalerie.org • Ouvert du jeudi au lundi de 11h à 18h

15 $ adultes ; 10 $ étudiants et seniors ; gratuit de 18h à 20h le premier vendredi
de chaque mois

Ces galeries d'art allemand et viennois du xxe siècle s'étendent sur
trois étages dans un ancien hôtel particulier. Ce tout récent musée
s'est aligné sur ses confrères de *Museum Mile* quant aux standards
de qualité. Le café à la carte du musée, réplique d'un café viennois
du début du xxe siècle, est aussi bon qu'agréable.

Metropolitan Museum of Art (Met)

1000 5th Avenue, à l'angle de East 82nd Street • M° 4-5-6 : 86th Street

Tél. 212-535-7710 • www.metmuseum.org • Ouvert du mardi au dimanche
de 9h30 à 17h30 (jusqu'à 21h les vendredi et samedi)

Donation suggérée : 20 $ adultes ; 15 $ seniors ; 10 $ étudiants (billet unique avec
The Cloisters pour une visite dans la même journée)

Dans cet immense musée universel, toutes les grandes périodes de
l'histoire de l'art sont représentées, de l'Égypte et l'Asie antique à
la photographie contemporaine. Comptez au moins deux jours pour
le parcourir d'un pas enlevé...

Pas bête, l'esthète !

"Suggested donation" signifie qu'on encourage les dons, mais qu'ils ne
sont pas obligatoires. On peut verser ce que l'on veut en fonction de son
budget : un penny, un quarter ou 10 $. Si les guichetiers regardent les
pièces d'un mauvais œil, laissez couler : ils ne sont pas payés au pourboire.

The Cloisters

99 Margaret Corbin Drive • M° A : 190th Street • Tél. 212-923-3700

Ouvert du mardi au dimanche de 9h30 à 17h15 de mars à octobre ; jusqu'à 16h45
de novembre à février • Donation suggérée : 20 $ adultes ; 15 $ seniors ; 10 $ étudiants
(billet unique avec le Met pour une visite dans la même journée)

Branche du Metropolitan entièrement destinée à l'art et à l'architecture médiévale européenne, ces cloîtres datant du XIIe au XVe siècle sont impressionnants de splendeur et d'incongruité, puisqu'ils sont plantés au milieu du Bronx. Ils abritent l'une des plus belles collections du monde dans un cadre magique.

Dans le quartier... **Uptown**

American Museum of Natural History

Central Park West, à l'angle de West 79th Street • M° B-C : 81st Street ;
M° 1-9 : 79th Street • Tél. 212-769-5100 • www.amnh.org

Ouvert tous les jours de 10h à 17h45 ; fermé les jours de Noël et de Thanksgiving
(le dernier jeudi de novembre) • Donation suggérée : 16 $ adultes ; 9 $ enfants ;
12 $ étudiants ou seniors

Un des plus grands musées et centre de recherche au monde concernant les sciences naturelles. Les collections et expositions temporaires couvrent l'évolution de la planète à travers les âges. Pour les petits, les reproductions de dinosaures sont aussi vraies que nature.

The Frick Collection

1 East 70th Street, entre Madison et 5th Avenue • M° B-D : 72nd Street
Tél. 212-288-0700 • www.frick.org • Ouvert tous les jours sauf le lundi de 10h à 17h ; le
samedi de 9h30 à 13h ; et le dimanche de 11h à 13h • 18 $ adultes, 5 $ étudiants et 12 $
seniors • Les enfants de moins de 10 ans ne sont pas admis

Pay What You Wish ("Payez ce que vous voulez") le dimanche de 11h à 13h

L'ancienne demeure de Mr. Frick (à côté, celle d'Andrew Carnegie serait presque un taudis) fut transformée à sa mort au début du xxᵉ siècle en musée pour héberger sa collection privée. Œuvre d'art en tant que telle, ce palais de ville qui occupe un block entier est fascinant du sol (en marbre) au plafond (couvert de fresques). Aux murs, Mantegna, Turner et Vermeer, entre autres...

Whitney Museum of American Art

945 Madison Avenue, à l'angle de East 75ᵗʰ Street • M° 6 : 77ᵗʰ Street
Tél. 212-570-3600 • www.whitney.org • Du mercredi au dimanche de 11h à 18h ;
le vendredi *Pay What You Wish* ("Payez ce que vous voulez") de 18h à 21h
18 $ adultes ; 12 $ étudiants et seniors ; gratuit pour les moins de 18 ans
Rassemblant depuis 1932 l'une des plus importantes collections d'art américain du xxᵉ siècle, ce musée organise également une biennale spécialement consacrée aux jeunes artistes, faisant systématiquement sensation dans le monde de l'art contemporain. Parmi les artistes présentés au fil des années : Arshile Gorky, Philip Guston, Jasper Johns, Mike Kelley, Matthew Barney, Louise Bourgeois et beaucoup d'autres.

Dans le quartier... **Midtown**

Museum of Modern Art (MoMA)

11 West 53ʳᵈ Street, entre les 5ᵗʰ et 6ᵗʰ Avenues • M° E-V : 53ʳᵈ Street-5ᵗʰ Avenue
M° B-D-F : 47ᵗʰ-50ᵗʰ Streets/Rockefeller Center • Tél. 212-708-9400 • www.moma.org
Ouvert tous les jours sauf le mardi de 10h30 à 17h30 ; jusqu'à 20h45 le premier jeudi de chaque mois et tous les jeudis pendant l'été ; nocturne le vendredi jusqu'à 20h
20 $ adultes ; 16 $ seniors ; 12 $ étudiants ; gratuit le vendredi de 16h à 20h
Construit en 1939 et restauré en 2004 par l'architecte japonais Yoshio Taniguchi, le MoMA privilégie l'espace. Quant à la collection, les *Demoiselles d'Avignon* y sont, ainsi que le *Rêve* du Douanier Rousseau, des natures mortes de Cézanne, des paysages de Braque, les poissons rouges de Matisse, entre autres. Le jardin de sculptures est ouvert toute l'année et le café y est particulièrement agréable en été. Bonne nouvelle pour les cinéphiles : l'accès aux deux salles de la cinémathèque du musée est gratuit, sur simple présentation du billet du musée.

Rubin Museum

150 West 17th Street, à l'angle de 7th Avenue • M°A-C- F-E-L-V : 14th Street ;
M° 1 : 18th Street • Tél. 212-620-5000 • www.rmanyc.org
Ouvert tous les jours sauf le mardi de 11h à 17h ; le vendredi jusqu'à 22h ;
le samedi et le dimanche jusqu'à 18h • 10 $ adultes ; 5 $ étudiants ; gratuit pour les
enfants de moins de 12 ans ; gratuit le vendredi de 18h à 22h

Ce musée est dédié à la culture de la région de l'Himalaya (Népal,
Tibet, Bhoutan, mais aussi Inde, Mongolie et Chine). S'y promener
ressemble à un voyage initiatique, à un séjour hors du temps et de
la ville. Les expositions sont généralement aussi fascinantes que
fouillées. À tenter !

Dans le quartier... **Downtown**

Lower East Side Tenement Museum

108 Orchard Street, à l'angle de Delancey Street • M° B-D : Grand Street
M° F-J-M-Z : Essex-Delancey Streets • Tél. 212-982-8420 • www.tenement.org
Tous les jours, uniquement en visite guidée ; visites de 10h30 à 17h ;
visites en français disponibles pour les groupes sur réservation
20 $ adultes ; 15 $ étudiants ; 15 $ seniors

Cet immeuble historique a accueilli, entre 1863 et 1935, plus de
7 000 immigrés venus de 20 nations différentes. On y découvre dans
une belle muséographie les premiers quartiers des immigrés juifs
allemands dans les années 1870, d'Europe de l'Est en 1918 ou des
catholiques italiens dans les années 1930. Une plongée émouvante
dans un passé qui éclaire le présent de la ville de tous les possibles.

New Museum of Contemporary Art

235 Bowery, entre Prince et Stanton Streets • M° 6 : Spring Street ; M° J-M-Z : Bowery
Tél. 212-219-1222 • www.newmuseum.org Ouvert du mercredi au dimanche de 12h
à 18h ; nocturne les jeudi et vendredi jusqu'à 22h • 12 $ adultes ; 10 $ seniors ;
8 $ étudiants ; gratuit pour les moins de 18 ans ; gratuit le jeudi de 19h à 21h

Dans un tout nouvel immeuble inauguré en décembre 2007, le
New Museum présente des expositions temporaires exclusivement

consacrées à l'art ultracontemporain. Sa réouverture sur une avenue réputée être malfamée jusqu'à peu a précipité la réhabilitation du quartier et entraîné l'ouverture d'une kyrielle de galeries dans les parages.

Dans le quartier... **Queens**

Isamu Noguchi Garden Museum

9-01 33rd Road, à l'angle de Vernon Boulevard • M° N-R : Broadway ;
M° F : Queensbridge/21st Street • Tél. 718-204-7088 • www.noguchi.org
Ouvert du mercredi au dimanche de 10h à 17h, jusqu'à 18h le week-end
10 $ adultes ; 5 $ seniors/étudiants ; gratuit pour les moins de 12 ans
Pay What You Wish ("Payez ce que vous voulez") le premier vendredi du mois

Dans l'ancien atelier du sculpteur Isamu Noguchi, on admirera les statues monumentales dans les jardins, entourées de bouleaux et de saules et on appréciera la promenade méditative au milieu de la jungle urbaine.

PS1 Contemporary Art Center

22-25 Jackson Avenue, à l'angle de 46th Avenue
M° E-V : 23rd Street/Ely Avenue ; M° 7 : 45th Road/Court House Square
Tél. 718-784-2084 • www.ps1.org • Ouvert du jeudi au lundi de 12h à 18h
Donation conseillée : 5 $ adultes ; 2 $ seniors et étudiants

Centre d'art contemporain fondé en 1971 dans une ancienne école publique désaffectée, cette institution maintenant dépendante du MoMA présente et produit la jeune garde artistique internationale. La programmation change constamment et les expositions temporaires peuvent être inégales, mais l'espace en tant que tel vaut le détour. Dans le hall d'entrée, la micro-installation vidéo de Pipilotti Rist est à ne pas rater, cachée entre deux lattes de parquet. La salle James Turrell au dernier étage est inoubliable : vérifier le calendrier au préalable, car elle n'est ouverte que lorsque les horaires du centre correspondent au coucher du soleil.

Attention : chefs-d'œuvre en plein air !

La ville de New York commande chaque année des sculptures à des artistes en vogue, qu'elle expose temporairement dans les parcs et sur les grandes avenues. Quelques-unes d'entre elles sont installées de manière permanente – on notera par exemple celles de Jim Dine *Looking Towards the Avenue* sur 6th Avenue, entre 52nd et 53rd Streets (1988), ou les fameux lièvres de Barry Flanagan sur Park Avenue, entre 54th et 59th Streets (1995-1996). Les autres tournent et on les trouvera au hasard ou en les traquant sur le site : www.nycgovparks.org dans la rubrique *Things to Do*, en cliquant sur *Art in the Parks*.

Les galeries d'art

L'entrée dans les galeries est bien évidemment gratuite et nombre d'entre elles méritent que l'on s'y attarde au même titre que dans un musée. En dehors des magazines, dont *Time Out*, le *New Yorker* ou *New York*, le site www.artcal.net propose chaque semaine une sélection des vernissages à ne pas manquer. Ceux qui n'auront pas peur de passer pour des pique-assiettes profiteront du fait qu'on y sert à boire et parfois même à manger.

On trouvera les galeries d'art moderne les plus importantes sur Madison Avenue, autour de 57th Street ; les contemporaines à Chelsea, entre 9th et 11th Avenues, de 22th à 29th Streets, ou à l'ouest de Soho, sur Wooster, Greene et Mercer Streets, entre Broome et Canal Streets, plus quelques-unes dans le West Village et Tribeca ; la toute jeune garde dans le Lower East Side, à côté du New Museum, sur Rivington ou Stanton, entre Chrystie et Bowery, ou encore à Williamsburg, sur Metropolitan et Grand Streets, entre Bedford et Roebling. La plupart des galeries sont fermées le dimanche et le lundi. Ci-dessous, la plus célèbre, sans conteste...

BON À SAVOIR :

Le *Gallery Guide* est un magazine gratuit avec un plan de Chelsea et des informations sur les expositions en cours. Il est disponible partout dans le quartier et à l'entrée des galeries.

Les sociétés de vente aux enchères

Bien qu'il ne soit pas question de participer aux enchères du dernier Picasso, on pourra aller l'admirer chez Christie's et Sotheby's avant qu'il ne trouve preneur à quelques millions de dollars. En général dans des contextes thématiques liés aux ventes, les expositions y sont souvent de la qualité d'un grand musée. Les magazines tels le *New Yorker*, www.newyorker.com, les annoncent et les sites sont évidemment mis à jour régulièrement.

CHRISTIE'S
20 Rockefeller Plaza, 49th Street, entre les 5th et 6th Avenues
Midtown East • M° B-D-F-V : 47th-50th Streets/Rockefeller Center
Tél. 212-636-2000 • www.christies.com
Du lundi au vendredi de 9h30 à 17h30

SOTHEBY'S
1334 York Avenue, entre East 71st et East 72nd Street
Upper East Side • M° 6 : 68th Street/Hunter College
Tél. 212-606-7000 • www.sothebys.com
Du lundi au vendredi de 9h30 à 17h30

PHILLIPS AUCTION HOUSE
450 West 15th Street, entre 10th et 11th Avenues
Chelsea/Meatpacking District • Tél. 212-940-1200
www.phillipsdepury.com
Du lundi au samedi de 10h à 17h ; le dimanche de 12h à 17h
(les horaires peuvent varier selon les expositions)

Gagosian Gallery

555 West 24th Street, à l'angle de 11th Avenue • **Chelsea**
M° C-E : 23rd Street • Tél. 212-741-1111 • www.gagosian.com
Du mardi au samedi de 10h à 18h

Damian Hirst, Richard Prince, Gregory Crewdson, Rachel White-
read, Cindy Sherman : voici une liste arbitraire de quelques-unes
des figures présentées par le galeriste le plus réputé des États-Unis.
De ses trois galeries dans Manhattan, c'est la plus impressionnante.

Les buildings immanquables

Ce sont les immeubles dressés vers le ciel comme autant de bras
levés en signe de conquête qui font avant tout la singularité de
New York. Aussi fascinants de loin qu'écrasants de près, voici une
sélection de quelques-uns des plus remarquables, classés par ordre
décroissant de taille.

Empire State Building

350 5th Avenue, entre East 33rd et East 34th Street • **Midtown East**
M° 6 : 33rd Street • Tél. 212-736-3100
www.esbnyc.com
20 $ pour les adultes ; 14 $ pour les enfants (6-12 ans) ; 18 $ pour les seniors

Hauteur : 381 mètres.
Année de construction : 1931.
Architecte : William Lamb.
Observatoire ouvert tous les jours de 8h à 2h (dernier billet vendu à 1h15).

Jusqu'à la construction des *Twin Towers* en 1973, il fut le plus
haut gratte-ciel de New York et l'est de nouveau depuis le 11 septembre 2001. L'observatoire situé 86e étage surplombe la ville au-
delà du vertige. Dans l'ascenseur qui y mène, la voix de Kevin Bacon
raconte l'épopée de sa construction, au moment de la grande
dépression.

Bank of America Tower

1 Bryant Park sur 6th Avenue, entre 42nd et 43rd Street • **Midtown West**
Tél. 646-216-7000 • M° B-D-F-V : 42nd Street/Bryant Park

Hauteur : 366 mètres.
Année de construction : 2009.
Architecte : Cook+Fox Architects.

Derrière la grande bibliothèque de New York, face au Bryant Park,
cette tour estimée à 1 000 000 000 $ (un milliard de dollars) est l'un
des édifices les plus écologiques au monde : les toilettes sont sans
eau, l'énergie éolienne est utilisée et des panneaux solaires sont
installés sur les façades.

Chrysler Building

405 Lexington Avenue, à l'angle de 42nd Street • **Midtown East**
Tél. 212-682-3070 • M° 4-5-6 : Grand Central/42nd Street

Hauteur : 319 mètres.
Année de construction : 1930.
Architecte : William Van Alen.

Vite dépassé par l'Empire State Building, le Chrysler ne garda son
titre du plus haut building de New York qu'une année, mais son
style Art déco et la majesté de son sommet éclairé la nuit comme
un paon phosphorescent lui permirent de conserver une place de
choix dans la *skyline* de Manhattan.

New York Times Building

229 West 43rd Street, à l'angle de 9th Avenue • **Midtown West/Times Square**
M° 1-2-3-7-N-Q-R-S-W : Times Square/42nd Street

Hauteur : 319 mètres.
Année de construction : 2007.
Architecte : Renzo Piano Building Workshop.

Créé par l'atelier de Renzo Piano, à qui l'on doit notamment le centre Pompidou à Paris, le *New York Times* a réinvesti Times Square en s'installant dans cette bâtisse large d'un pâté de maisons. Derrière la façade apparaissent en transparence les bureaux des journalistes et une cour intérieure arborée plantée de hauts bouleaux.

Woolworth Building

233 Broadway, entre Park Place et Barclay Street • **Lower Manhattan**
M° 2-3 : Park Place ; M° E : World Trace Center

Hauteur : 241 mètres.
Année de construction : 1913.
Architecte : Cass Gilbert.

Dans un style néogothique commandé par l'entrepreneur Frank Woolworth (des chaînes de magasins et grandes surfaces), l'édifice fut surnommé au moment de son inauguration la Cathédrale du commerce. Il demeura le plus haut immeuble du monde de 1913 à 1930, avant l'érection du Chrysler Building.

Hearst Tower

300 West 57th Street ou 959 8th Avenue, près de Columbus Circle • **Midtown West**
M° 1-A-B-C-D : 59th Street/Columbus Circle

Hauteur : 182 mètres.
Année de construction : 1928 pour les 6 premiers étages ;
2006 pour les 40 étages supérieurs.
Architecte : Joseph Urban (1928) ; Norman Foster (2006).

Cette tour est le QG de Hearst, le propriétaire du magazine *Cosmopolitan*, entre autres. Elle a été érigée au-dessus d'une base de six étages, mélangeant l'ultracontemporain à l'Art déco et ressemblant à une pierre précieuse montée sur des pierres de taille. C'est l'un des tout premiers immeubles construit dans le respect de l'environnement, puisqu'il est constitué de plus de 80 % d'acier recyclé.

Seagram Buidling

375 Park Avenue, entre 52nd et 53rd Street • **Midtown East**
M° 6 : 51st Street ; M° E-V : Lexington Avenue/53rd Street

Hauteur : 157 mètres.
Année de construction : 1958.
Architecte : Mies van der Rohe.

Chef-d'œuvre de l'architecture moderniste, cet immeuble inspiré du pavillon allemand de l'Exposition universelle de Barcelone de 1929 était, au moment de sa création, l'édifice le plus cher de Manhattan. Les façades vitrées soutenues par des pôles en acier recouverts de bronze ont par la suite servi de modèles à de nombreux gratte-ciel new-yorkais.

AT & T Building

32 Avenue of the America, à l'angle de York Street • **Tribeca**
M° A-C-E : Canal Street

Hauteur : 131 mètres.
Année de construction : 1932.
Architecte : Ralph Walker.

Cette structure Art déco tout en briques industrielles fut construite pour héberger les lignes transatlantiques de la compagnie AT&T. Imposant et bourru, l'immeuble n'est pas un modèle d'élégance, mais il témoigne parfaitement de son époque. Dans le lobby, une carte du monde en carrelage couvre un pan de mur entier et au plafond, une fresque en mosaïque représente une scène allégorique du *New World*.

Flatiron Building

175 5th Avenue, à l'angle de 23rd Street • **Flatiron District**
M° R-W : 23rd Street

Hauteur : 87 mètres.
Année de construction : 1902.
Architecte : Daniel Burnham.

Le "Fuller Building" fut rebaptisé Flatiron du fait de sa forme semblable à celle d'un fer à repasser. Il a par la suite donné son nom au quartier, le Flatiron District. Dans un style Beaux-Arts, sa coupe et son esthétique classique font de cet immeuble une pièce unique que l'on peut admirer à loisir depuis Madison Square Park.

Un mythe new-yorkais : le Yankee Stadium

Hauteur : 37 mètres.
Année de construction : 1923 ; reconstruit en 1976.
Architectes : Osborn Engineering (1923) ; Praeger-Kavanaugh-Waterbury (1976).

Ce gigantesque stade en forme de fer à cheval pouvait précisément accueillir 57 545 férus de base-ball, qui se bousculaient régulièrement jusqu'aux arènes pour assister à la finale du *Major League Baseball* (ou MLB, soit le consortium des trente plus grandes équipes d'Amérique du Nord). En voie de démolition, il devrait être transformé en parc d'attraction, mais on peut désormais en admirer un nouveau, plus grand et plus beau, juste à côté.
East 161st Street et River Avenue • Bronx • **M° 4-B-D :**
161st Street/Yankee Stadium • www.yankees.mlb.com

Entre terre et fleuve : les ponts

Des trois ponts qui relient Brooklyn à Manhattan, le Brooklyn Bridge est évidemment le plus connu et le plus couru, mais le Manhattan ou le Williamsburg valent aussi le détour, surtout pour qui voudrait changer de perspective, à l'aller ou au retour. Ils sont accessibles toute l'année, 24h/24, pour les piétons et les vélos.

Brooklyn Bridge
• **Côté Manhattan** : M° 4-5-6 : Brooklyn Bridge/City Hall Station ;
M° N-R : City Hall ; M° 2-3 : Park Place • Accès piétons et cyclistes :
Park Row et Centre Street, en face de City Hall Park
• **Côté Brooklyn** : M° A-C : High Street • Accès piétons : escaliers
de Cadman Plaza East et Prospect Street • Accès cyclistes : rampe à l'angle
de Johnson et Adams Streets
Le jour de son inauguration le 24 mai 1883, le pont de Brooklyn, long de 1 825 mètres, était le plus long pont à suspension du monde. Aujourd'hui classée monument historique, la création de John Roebling est toujours aussi enchanteresse. La vue qu'il offre sur l'East River et sur les gratte-ciel de Downtown semble d'autant plus irréelle qu'elle s'est transformée en cliché... en vrai, elle semble être un mirage, la réalité surpasse encore l'image !

> *Untried expedient, untried ; then tried ;*
> *way out ; way in ; romantic passageway*
> *first seen by the eye of the mind,*
> *then by the eye. O steel !*
> *O stone !*
> *Climactic ornament, a double rainbow,*
> *as if inverted by French perspicacity,*
> *John Roebling's monument,*
> *German tenacity's also ;*
> *composite span – an actuality.*
>
> **"Granite and Steel"**, 1966
> MARIANNE MOORE

Williamsburg Bridge

• **Côté Manhattan** : M° F-J-M-Z : Essex-Delancey Streets
Accès piétons et cyclistes : Delancey et Clinton Streets
• **Côté Brooklyn** : M° J-M-Z : Marcy Avenue • Accès piétons et cyclistes :
South 5th Street et South 5th Place (entre Driggs et Roebling) ou Bedford Avenue, entre
South 5th et South 6th Streets

Le Williamsburg Bridge est certes un peu moins beau, mais nettement plus pratique pour passer de Williamsburg à Soho par exemple, ou à l'époque de son inauguration pour les immigrés juifs qui rejoignaient leur famille de l'autre côté du pont. Ce pont détrôna le pont de Brooklyn en terme de longueur en 1903 et garda le titre du plus long pont à suspension du monde jusqu'en 1924.

Manhattan Bridge

• **Côté Manhattan** : M° B-D : Grand Street • Accès cyclistes : Canal Street
et Forsyth Street • Accès piétons : Bowery, entre Canal Street et Bayard Streets
• **Côté Brooklyn** : M° A-C-F : Jay Street/Borough Hall • Accès cyclistes :
Sands Street et Jay Street • Accès piétons : Jay Street, entre Sands et Nassau Streets

Construit en 1909, le petit dernier, tout juste restauré en 2008, est devenu le plus confortable pour les cyclistes qui n'ont plus à se disputer la piste avec les piétons. S'il n'est pourtant pas spécialement haut, il est terriblement vertigineux : les passages pour les piétons et pour les cyclistes aux extrémités de chaque côté donnent l'impression que l'on peut basculer à tout moment. Pas de risque, cependant.

Au large de New York, les îles

Ellis Island et la Statue de la Liberté

Par ferry au départ de Battery Park • Castle Clinton National Monument
Lower Manhattan • M° 1 : South Ferry • Tél. 877-523-9849 • www.statuecruises.com
Tous les jours de 8h30 à 17h • 12 $ adultes (13 ans et plus) ; 10 $ seniors ; 5 $ enfants
(4-12 ans)

En plus d'être classé monument historique, l'île de la Statue est
également protégée par le titre de parc national. Le seul moyen d'y
accéder est un ferry, affrété par l'État. Son accès est gratuit, mais le
ferry est payant. Construite en 1886, haute de 93 mètres, la Statue
de la Liberté est un cadeau de la France aux États-Unis en signe
d'amitié et pour commémorer la liberté. Sur Ellis Island, on apprendra l'histoire de l'immigration à travers le nouveau continent.

Governors Island

Par ferry du Battery Park Maritime Building • 11 South Street, au pied de Whitehall
Whitehall Ferry Terminal • Lower Manhattan • M° W : Whitehall ; M° 4-5 : Bowling
Green • Tél. 212-825-3045 • www.nps.gov/gois
Accessible du milieu du printemps au début de l'automne

Construite comme base de défense pour protéger Brooklyn et Manhattan, Governors Island a joué un rôle fondamental dans l'histoire
militaire de New York depuis le milieu du XVIIIe siècle. En été, un
ferry y conduit gratuitement accompagné d'un guide du jeudi au
dimanche, sauf le samedi, où l'on a quartier libre. La visite dure en
général 1h et on encourage les participants à apporter de l'eau et
un pique-nique. Un vrai voyage à quelques minutes de Manhattan.

Staten Island

Par ferry du Battery Park Maritime Building • Whitehall Ferry Terminal
Lower Manhattan • M° R-W : Whitehall ; M° 4-5 : Bowling Green
Tous les jours, toutes les 30 minutes

Le ferry de Staten Island, entièrement gratuit, offre une vue imprenable sur Manhattan, sur la Statue de la Liberté et sur les ponts
de Brooklyn. Une fois sur place, les visites sont limitées, mais à
Rosebank, le quartier catholique italien, on pourra aller voir les
grottes de Mont Carmel, lieu de culte classé site historique depuis
2001, accessible en bus par le S78 ou S52 jusqu'au coin de Chestnut
et Tompkins Avenues.

Églises et synagogues célèbres

Cathedral of Saint John the Divine

1047 Amsterdam Avenue, à l'angle de West 112th Street • Upper West Side
M° 1 : 110th Street/Cathedral Parkway • Tél. 212-932-7347
www.stjohndivine.org • Visites guidées du mardi au samedi à 11h et 13h
et le dimanche à 14h • 5 $ par personne

Éternellement ou presque en travaux, la cathédrale de Saint John
est située à Morningside Heights près du campus de Columbia University. Elle s'étend sur plus de 180 mètres de longueur et sa nef
culmine à 50 mètres de hauteur. Étonnante – des vitraux modernes
représentent par endroits des télévisions – elle est construite dans
un style gothique pour servir de maison de prière à toutes les
nations et à tous les peuples.

Saint Patrick's Cathedral

5th Avenue, entre 50th et 51st Streets • **Midtown East**

M° E-V : 53rd Street-5th Avenue ; M° B-D-F-V : 47th-50th Streets/Rockefeller Center

Tél. 212-753-2261 • www.saintpatrickscathedral.org

Visites guidées sur réservation téléphonique

La plus célèbre cathédrale de New York est idéalement située entre 5th Avenue et Madison et témoigne de la forte présence catholique à New York. Construite au milieu du XIXe siècle dans un style néogothique, elle organise des messes pour toutes les ethnies, des Ukrainiens aux hispaniques, ainsi que des concerts d'orgue et de piano.

Saint Paul's Chapel

209 Broadway, à l'angle de Vesey Street • **Lower Manhattan**

Tél. 212-233-4164 • M° 2-3 : Park Place ; M° 4-5-J-M-Z : Fulton Street ;

M° 2-3 : Park Place ; M° E : World Trade Center • Tél. 212-233-4164

www.saintpaulschapel.org

Achevée en 1766, la chapelle Saint Paul est la plus vieille église de New York. À quelques rues du World Trade Center, elle servit de refuge aux sans-abri après le 11 septembre 2001.

Eldridge Street Synagogue

12 Eldridge Street, entre Division et Canal Street • **Lower East Side/Chinatown**

M° F : East Broadway ; M° B-D : Grand Street • Tél. 212-219-0302

www.eldridgestreet.org • Visites guidées toutes les 30 minutes de 10h à 16h

10 $ adultes ; 8 $ seniors et étudiants ; gratuit pour les enfants de moins de 5 ans

Ouverte au public en 1887, cette synagogue construite par les immigrés juifs d'Europe de l'Est est aujourd'hui aussi un musée. Il est accessible aux touristes uniquement sur visite guidée, du dimanche au jeudi.

Quelques curiosités à ne pas manquer

BROOKLYN TABERNACLE
17 Smith Street, entre Livingston et Fulton Street • Brooklyn
M° 4-5-A-C-F : Borough Hall ; M° 2-3 : Hoyt Street
Tél. 718-290-2000 • www.brooklyntabernacle.org
Service de gospel tous les dimanches à 15h
On se croirait à un concert à Madison Square Garden dans cette *mega-church* multiethnique. Le chœur compte près de 285 chanteurs. Quand la musique s'élève dans l'enceinte de l'église, même les bancs semblent valser alors que tout le monde se met à célébrer sa foi, haut, fort et avec les bras. Une expérience inoubliable pour les mystiques comme pour les plus sceptiques.

MAHAYANA BUDDHIST TEMPLE
33 Canal Street, à l'angle de Manhattan Bridge Plaza • Chinatown
M° F : East Broadway • Tél. 212-925-8787
C'est le plus grand temple bouddhiste de New York. Impossible de visiter Chinatown sans s'y arrêter pour admirer la magnifique statue de Bouddha, de plus de 5 mètres de haut. À l'entrée, on est invité à piocher un petit rouleau de papier sur lequel on lira son destin comme sur un parchemin, pour 1 $.

FRIENDS MEETING HOUSE IN FLUSHING
137-16 Northern Boulevard Flushing, à l'angle de Main Street
Queens • M° 7 : Flushing/Main Street • Tél. 718-261-9832
www.nyym.org/flushing
Cette église quaker construite en 1694 est le plus ancien lieu de culte de New York. Elle servit également de passage souterrain pour les esclaves en fuite. Le terrain adjacent, acheté en 1676 par John Bowne dont on admirera la maison classée monument historique, faisait office de cimetière jusqu'à la fin du XIXe siècle.

GANESHA HINDU TEMPLE
45-57 Bowne Street • Flushing/Queens • **M° 7 : Flushing/Main Street**
Tél. 718-460-8484 • **www.nyganeshtemple.org** • **Ouvert du lundi**
au vendredi de 8h à 21h et le week-end à partir de 7h30
Ce temple de quartier est dédié au culte de Ganesh, le célèbre éléphant
hindou, fils de Shiva et Parvati. On se serait cru en Inde du Sud, si l'architecture des rues alentour était moins visiblement typique des banlieues américaines, peuplées en majorité d'immigrés asiatiques, indiens,
coréens ou chinois. Ouvert à tous, le temple organise des festivals hauts
en couleur, à découvrir sur le site Internet.

Visites guidées

Pour prendre un cours d'histoire en arpentant la ville, des *walking
tours* à travers tous les quartiers possibles et imaginables sont à la disposition des touristes curieux. Une sélection approfondie est réper-
toriée sur le site : www.nycwalk.com. Il faut en moyenne compter
deux heures pour 15 $. Pour un parcours culinaire de New York,
déjeuner compris, voir le site www.foodsofny.com et prévoir un budget de 40 et 65 $ pour trois heures de promenade en moyenne. Pour
des visites de Brooklyn, pas chères voire gratuites, renseignez-vous
sur ce site : www.hellobrooklyn.com/brooklyn_tours.html

Les bons contacts

NYC Official Visitor Information Center
810 7th Avenue, entre 52nd et 53rd Streets • Midtown West
M° B-D-E : 7th Avenue • Tél. 212-484-1222 • www.nycvisit.com
Coupons de réduction, prospectus, guides gratuits et plans de la ville sont
disponibles à cette office du tourisme. Pour ceux qui ne voudraient pas
se déplacer, les mêmes informations se trouvent également en ligne.

Big Apple Greeter

1 Centre Street, à l'angle de Chambers Street • 19e étage • **Lower Manhattan**
M° J-M-Z : Chambers Street • Tél. 212-669-8159 • www.bigapplegreeter.org

À ceux qui croyaient les New-Yorkais individualistes à l'extrême, voilà le programme qui leur fera revoir leurs préjugés. Big Apple Greeter propose des visites guidées par des véritables autochtones, bénévoles qui promènent gratuitement les nouveaux arrivants pour le plaisir de faire découvrir leur ville. Le fichier d'inscription sur le site permet de choisir sa langue et son quartier de prédilection, mais le mieux est de laisser son guide montrer son quartier – aussi bien Astoria que Soho ou Prospect Heights. Le mieux est de s'inscrire 4 à 5 semaines à l'avance.

Visites gratuites

WALL STREET
Départ du U.S. Custom House, 1 Bowling Green • Les jeudi et samedi à midi • Tél. 212-206-4064 • www.downtownny.com

CENTRAL PARK
Tél. 212-360-2726 • Tous les jours, des dizaines de visites à travers le parc à découvrir sur le site : www.centralparknyc.org

GRAND CENTRAL STATION
Grand Central Terminal, à l'angle de East 42nd Street et Park Avenue
Tél. 212-223-2777 • Le vendredi à 12h30
www.grandcentralpartnership.org ou www.justinsnewyork.com

UNION SQUARE
East 16th Street et Union Square Park, devant la statue de George Washington • M° 4-5-6-L-N-Q-R-W : 14th Street/Union Square
Tél. 212-517-1826 • www.unionsquarenyc.org
Le samedi à 14h

GREENWICH VILLAGE
2nd Avenue, à l'angle de Saint Mark's Place • Le samedi à 11h30
www.villagealliance.org

TIMES SQUARE
7th Avenue, entre West 46th et West 47th Streets • M° N-R-W :
49th Street ; M° 1-2-3-7-N-Q-R-S-W : Times Square/42nd Street
Le vendredi à midi • www.timessquarenyc.org

Pour les littéraires

Les férus de lecture, les amateurs de livres rares ou les spécialistes
de littérature américaine se feront un devoir de faire un détour par
l'une des trois adresses ci-dessous :

New York Public Library

5th Avenue, à l'angle de 42nd Street • **Midtown East** • M° B-D-F-V : Bryant Park ;
M° 7 : 5th Avenue • Tél. 212-930-0800 • www.nypl.org • Tous les jours de 11h à 18h :
les mardi et mercredi jusqu'à 21h ; le dimanche jusqu'à 17h

Entièrement gratuite et ouverte à tous, la branche principale de la
grande bibliothèque de New York date de la deuxième moitié du
XIXe siècle. On doit sa création à un mécène d'origine allemande,
Jacob Astor – à sa mort l'homme le plus riche d'Amérique – qui légua
une partie de sa fortune pour sa construction. Aujourd'hui, c'est l'un
des principaux centres de recherche au monde. On peut s'installer
à l'une des immenses tables communes pour lire ou étudier sans
entendre une mouche voler. Les lions qui gardent l'entrée principale, sculptés par Augustus Saint-Gaudens en 1911, sont devenus
le symbole de cette institution culturelle, au point de lui servir de
surnom. Les expositions y sont aussi d'une très grande qualité.

The Morgan Library

29 East 36th Street, entre 5th et Madison Avenues • **Midtown East**
M° 4-5-6-7-S : Grand Central ; M° 6 : 33rd Street • Tél. 212-685-0008
www.themorgan.org • Du mardi au jeudi de 10h30 à 17h ; le vendredi jusqu'à 21h ;
le samedi jusqu'à 18h ; le dimanche de 11h à 18h • 12 $ adultes ; 8 $ seniors et étudiants
Musée et centre de recherche, la Morgan Library possède une des
plus grandes collections de manuscrits, livres rares, partitions, des-
sins et travaux historiques du monde occidental, du Moyen Âge à
nos jours. Dans le magnifique hôtel particulier de Pierpont Morgan
– réaménagé et agrandi par Renzo Piano –, on pourra admirer parmi
les chefs-d'œuvre exposés en permanence une bible imprimée par
Gutenberg en 1455, une partition signée de la main de Mozart, un
pastel de Rubens... La liste des expositions temporaires est disponible sur le site Internet.

La Maison d'Edgar Poe - Bronx Historical Society

3309 Bainbridge Avenue • **Bronx** • M° 205th Street/Norwood
Tél. 718-881-8900 • www.bronxhistoricalsociety.org • Du lundi au vendredi de 9h
à 17h ; le samedi de 10h à 16h ; le dimanche de 13h à 17h • Visites guidées sur
réservation • 5 $ adultes ; 3 $ enfants, seniors et étudiants
Voici la dernière demeure d'Edgar Poe jusqu'à l'année de sa mort,
en 1949. C'est là que le célèbre poète écrivit *Les Cloches* ou *Eureka*
que l'on peut lire en français dans les traductions des non moins
célèbres Stéphane Mallarmé et Charles Baudelaire. Restaurée et
entièrement réaménagée, cette vieille ferme est aujourd'hui telle
qu'elle fut quand Edgar Poe y vivait, jusqu'à la couleur des murs.

RESPIRER

puisé par le bruit des klaxons et des sirènes de pompiers, on pourra flâner dans l'un des très beaux parcs de la ville ou choisir de s'évader à la campagne pour un après-midi culturel dans un cadre idyllique.

Parcs et jardins

Hyperbole de l'urbanisme, la ville de New York s'est ingéniée au fil de son histoire à aménager des soupapes de verdure entre ses blocs de bitume. La quintessence en est Central Park, long de plus de 50 rues, ayant un périmètre de 10 km, en plein centre de Manhattan. Mais de Brooklyn au Bronx, on trouvera des parcs et jardins en nombre, aussi splendides qu'immenses et toujours très convoités au moindre rayon de soleil.

Central Park

59th-110th Street, entre Central Park West et 5th Avenue • **Midtown**
www.centralparknyc.org

Conçu en 1858 par Frederick Law Olmsted et Calvert Vaux à l'issue d'un concours organisé par la ville, Central Park, aussi naturel qu'il paraisse, est entièrement fabriqué. Quasiment rien n'y est d'origine, ni sa faune ni sa flore, ni les étangs ni les ruisseaux. Sur 340 hectares, plus de 26 000 arbres, 21 aires de jeux, 36 ponts, un théâtre, des cafés, un carrousel, une piste de patin à glace en hiver, un zoo : les attractions abondent et offrent suffisamment de distractions pour occuper une journée entière. Les New-Yorkais ont tendance à s'en servir comme d'un terrain de jogging, pour faire un tour à vélo ou pour une raison très pratique : se déplacer d'est en ouest ou vice-versa. À l'automne, fouler les feuilles rouges les yeux dans le flou des pelouses rendrait sentimental le plus terre à terre des promeneurs solitaires.

Pelham Bay Park

M° 6 : Pelham Bay Park ; Bus Bx 29 en direction de City Island • **Bronx**
www.nycgovparks.org > Pelham Bay Park

Faisant trois fois la taille de Central Park, Pelham Bay est de loin le plus grand parc de New York avec 1 090 hectares de nature, là encore complètement artificielle – y compris la plage de sable qui s'étend sur près de 2 km. Vu la taille de l'espace, on pourrait facilement y passer le week-end. Ici, pas de calèches, mais les plus petits peuvent monter à cheval – compter 30 $ par personne de l'heure – ou à poney : 5 $ pour trois tours de piste. Voir : www.bronxequestriancenter.com.

Prospect Park

Grand Army Plaza/Park Circle, entre Prospect Park West, Eastern Parkway
et Washington Avenue • **Brooklyn/Park Slope** • www.prospectpark.org
Visites guidées gratuites le week-end à 13h

Créé juste après Central Park par les mêmes architectes, Prospect Park est souvent considéré comme leur chef-d'œuvre tant l'ingéniosité s'allie avec grâce à la nature dans ses pelouses gigantesques, sa forêt et ses lacs. Le jardin botanique au milieu du parc est un modèle du genre.

Et aussi...
Brooklyn Botanic Garden

1000 Washington Avenue, à l'angle de Montgomery Street
Brooklyn/Park Slope • M° 2-5 : Prospect Avenue • Tél. 718-623-7200
www.bbg.org • Du mardi au dimanche de 10h à 16h30 • 8 $ par adultes ; 4 $ étudiants
et seniors • gratuit les mardi et samedi de 10h à midi

Le Zoo du Bronx

2300 Southern Boulevard • **Bronx**

M° 2-5 : East Tremont Avenue/West Farms Square • Tél. 718-367-1010

www.bronxzoo.com • Tous les jours à des horaires variables selon la saison

15 $ adultes ; 11 $ enfants (moins de 12 ans) ; le mercredi : *Pay What You Wish* ("Payez ce que vous voulez")

Ouvert en 1899 avec 843 animaux, le zoo du Bronx en compte aujourd'hui plus de 4 000, présentés par région ou dans des expositions à thème. Les architectes Heins et LaFarge construisirent les pavillons originaux dans lesquels les experts reconnaîtront le style Beaux-Arts très en vogue à l'époque.

High Line

De Gansevoort Street à 20th Street, entre 10th et 11th Avenues

Meatpacking District/Chelsea • M° L-A-E : 14th Street et 8th Avenue ;
M° C-E : 23rd Street et 8th Avenue • Renseignements : 212-500-6035

www.thehighline.org • Tous les jours de 7h à 22h

Originellement construite en 1930, la "High Line" était une voie ferroviaire aérienne destinée aux trains de marchandises. Abandonnée pendant plus d'un demi-siècle, elle a rouvert en 2009, reconvertie en jardin suspendu au-dessus de la ville. Son architecture novatrice mêle au béton une flore minimaliste pour créer un charme insolite.

Près des pavés, la plage !

Dès les premiers rayons de soleil estival, les New-Yorkais se précipitent à la plage. Tous en tongs, une serviette dans le cabas et le dimanche, l'énorme édition spéciale du *New York Times* sous le bras, les *working girls* abandonnent leur brushing pour un look détrempé, des tresses sablonneuses et en guise de blush, un bon coup de soleil sur les tempes. Voici quelques plages accessibles en métro ou en train, à moins de 2h du centre-ville.

Coney Island

Corbin Place, jusqu'à West 37th Street • **Brooklyn** • M° D-F-N-Q : Coney Island-Stillwell Avenue ; M° F-Q : West 8th Street/NY Aquarium ; M° Q : Ocean Parkway
www.nycgovparks.org/parks/coneyisland

Sur plus de 4 km de plages, Coney Island est depuis le début du XIXe siècle la Riviera des New-Yorkais. Entre les terrains de volley-ball et un immense parc d'attractions, elle ne manque pas d'animation. Dans une ambiance populaire, des joueurs tout le long du *boardwalk* ("les planches") interpellent les badauds pris à partie pour participer à des divertissements d'un goût parfois douteux : *Shoot the Freak* ("Tirez sur le phénomène"), par exemple, animé par un énergumène hurlant des insanités qui pourraient laisser pantois les plus courtois. En été, les festivals déferlent : du concours de la plus belle sirène au plus gros mangeur de hot-dogs.

Brighton Beach

M° B-Q : Brighton Beach • **Brooklyn**

À l'est de Coney Island, également appelée "Little Odessa", Brighton Beach est la capitale russo-ukrainienne de New York. En se promenant sur la plage, on remarquera la transition au son des *Harasho* ("tout va bien"). En remontant sur les planches après une baignade frisquette, on pourra se réchauffer avec un shot de vodka et un bortsch au Café Volna, 3145 Brighton Beach Boardwalk et 4th Street, Tél. 718-332-0501.

Jones Beach

Entre Wantagh et Meadowbrook Parkways • **Long Island**
Long Island Rail Road de Penn Station à Freeport, puis bus jusqu'à Jones Beach
Tél. 516-785-1600 • www.longbeachny.org • 15 $ l'aller-retour de Manhattan
ou Brooklyn, 11 $ du Queens • Consulter : www.mta.info
Long Island Rail Road (LIRR) • Plage payante en été : 8 $ la journée

Sur cette plage, l'une des plus populaires de New York, au sud de
Long Island (à moins d'une heure de Manhattan) des concerts sont
organisés tout l'été. Des pistes cyclables tout autour et une piscine
olympique permettent également aux sportifs de se défouler.

Orchard Beach

Dans le Pelham Bay Park • **Bronx** • M° 6 : Pelham Bay ; Bus Bx12 vers Orchard Beach
Tél. 718-885-3273 • www.nycgovparks.org/parks/orchardbeach

En plein cœur du Bronx, Orchard Beach, comme le reste du parc,
fut créée de toutes pièces par Robert Moses – un des urbanistes les
plus célèbres du XXe siècle dont les travaux sont parfois comparés à
ceux du baron Haussmann à Paris. En plus des nombreuses activités
qu'elle propose, la plage a l'avantage d'être abritée dans une baie :
de fait, l'eau y est moins froide et beaucoup plus calme qu'à l'océan.

Fire Island

Long Island Railroad de Penn Station à Bayshore, puis navette jusqu'au ferry
Tél. 631-289-4810 • www.nps.gov/fiis • www.mta.info > LIRR ; www.fireislandferries.com
Environ 30 $ l'aller-retour depuis Manhattan

Elle se trouve à environ 2h de Penn Station : on peut faire l'aller-
retour dans la journée et avoir l'impression d'être parti pendant
des semaines. Sur cette île interdite aux voitures, aussi étroite que
longue, on se promène pieds nus du village à la plage, accompagné
de cerfs sautillant en bordure de chemin. L'architecture minimale,
faite surtout de cabanons en bois, complète le cadre sauvage. En
été, les familles qui louent des maisons à Fair Harbor se retrouvent
sur le port pour admirer le coucher de soleil autour d'une bouteille
de vin. Les plus jeunes préfèrent Ocean Bay et la communauté gay
va plutôt à Cherry Grove.

Deux escapades artistiques, au grand air...

DIA Beacon

3 Beekman Street • **Beacon** • Par la Hudson Line, un départ de Grand Central
Terminal à Beacon, toutes les heures, environ 30 $ l'aller-retour, selon la saison
Pour les horaires, variables selon la saison et les tarifs, voir : www.mta.info >
Metro-North > East of Hudson • Tél. 845-440-0100 • www.diabeacon.org
10 $ adultes ; 7 $ étudiants et seniors

À deux pas de la gare, devant la baie de l'Hudson, les locaux de la
fondation DIA sont installés dans une ancienne usine de près de
30 000 m². Dans un espace spécialement choisi et aménagé pour
accueillir des œuvres monumentales des *landscape artists* des
années 1960-1970, les installations de Sol LeWitt, Robert Smith-
son, Walter De Maria, Dan Flavin ou encore les sculptures de
Richard Serra semblent avoir été créées sur place. Le voyage en
train (une petite heure) le long du fleuve de l'Hudson pour y arriver
ajoute au charme du lieu. Sur place, on peut déjeuner au café ou au
centre-ville, tout proche.

The Watermill Center

39 Watermill Towd Road, Watermill • **Long Island** • Long Island
Railroad (LIRR) de Penn Station ou Flatbush Avenue, Brooklyn, jusqu'à Southampton
Environ 30 $ l'aller-retour selon la saison • Tél. 631-726-4628
www.watermillcenter.org • Entrée gratuite

Centre d'art fondé par le scénographe Robert Wilson, le Watermill
soutient des projets transculturels, transversaux et transformatifs
dans toutes les disciplines en proposant des résidences à de jeunes
artistes. Dans un magnifique parc de près de 3 hectares, une collection d'objets hétéroclites émanant des diverses mises en scène de
Bob Wilson est exposée, par roulement. En été, on pourra se dorer
au soleil dans les jardins, ou emporter sa serviette de plage et bati-
foler dans les vagues de la côte Atlantique située à deux pas de là.

SHOPPING

*S*hop Till You Drop ("Achetez jusqu'à en crever") est le mot d'ordre new-yorkais. Le shopping est une drogue dont l'abus est aussi dangereux pour les finances que l'alcool l'est pour la santé. Sur l'île de la tentation, on trouvera des affaires à tous les coins de rues, des soldes non-stop, des chaînes discount, des réductions sur les dégriffés et des fripes. Le tout est de savoir s'arrêter...

Dans la ville qui ne dort jamais, les magasins sont ouverts tous les jours, dimanche et fêtes compris et les épiciers ou delicatessens, pour la plupart, 24h/24.

Attention encore une fois à ne pas se laisser tromper par le prix affiché : il est toujours hors taxes. Aussi, il ne faudra pas s'étonner une fois à la caisse si tout est plus cher qu'on ne le pensait.

La ruée vers l'or : la *Sale season*

Les soldes aux États-Unis ne sont pas soumises aux mêmes règles qu'en France et dans le pays du libéralisme à outrance, la concurrence (loyale ou non) fait tourner le commerce avec allégresse. Du coup, on verra affiché *sale*, voire *clearance sale* (soldes ou liquidation des stocks) à tout bout de champ. Pour connaître les soldes en cours sur la semaine, consulter le site du *New York Magazine* :
www.nymag.com/shopping/articles/sb.

Fringues

Grands magasins à petits prix

Century 21

22 Cortland Street, entre Church et Broadway • **Lower Manhattan**
M° 4-5-A-C-J-M-Z : Fulton Street/Broadway-Nassau • Tél. 212-227-9092
www.c21stores.com • Du lundi au samedi jusqu'à 21h ; le dimanche jusqu'à 20h
Megastore discount, Century 21 propose une des plus grandes sélections de marchandises dégriffées pouvant aller jusqu'à 70 % de réduction. On s'y bouscule dans les allées et les cabines d'essayage sont souvent prises d'assaut, mais les prix sont imbattables.

Loehmann's

101 7th Avenue, entre West 17th et West 18th • **Chelsea**
M° 1 : 18th Street • Tél. 212-352-0856 • www.loehmanns.com
Du lundi au samedi jusqu'à 21h ; le dimanche jusqu'à 19h
Cette énorme chaîne a des magasins dans toutes les grandes villes américaines – Loehmann's propose toute l'année les dernières collections en vogue avec des réductions de 30 à 65 %.

Filene's Basement

2222 Broadway, à l'angle de 79th Street • **Upper East Side**
M° 1 : 79th Street • Tél. 212-873-8000 • www.filenesbasement.com
Du lundi au samedi de 9h à 22h ; le dimanche de 11h à 20h
Deux autres magasins sur Union Square et 6th Avenue/West 18th Street
Ce grand magasin légendaire est né à Boston en 1908. Filene's propose des réductions (allant jusqu'à 70 %) sur des grandes marques de prêt-à-porter. Les allées sont spacieuses et la clientèle est sereine, ça change de l'hystérie des boutiques de Soho.

Target

139 Flatbush Avenue, à l'angle d'Atlantic Avenue • **Brooklyn/Fort Greene**
M° 2-3-4-5-B-Q : Atlantic Avenue • Tél. 718-290-1109 • www.target.com
Du lundi au samedi jusqu'à 22h ; le dimanche jusqu'à 21h

Dans un énorme *mall* digne des banlieues du Midwest, Target triomphe avec des prix qui défient toute concurrence. En faisant appel chaque année à un nouveau designer ultrabranché, le magasin crée des collections de chaussures ou de vêtements à tout petit prix pour les *fashionistas* sans le sou.

Daffy's

Union Square, 3 East 18th Street • **Union Square** • Tél. 212-529-4477
M° 4-5-6-L-N-Q-R-W : 14th Street/Union Square • Du lundi au samedi jusqu'à 21h ;
le dimanche jusqu'à 19h • Une dizaine de magasins dans Manhattan et Brooklyn :
liste à consulter sur www.daffys.com

Une des plus grandes chaînes de vêtements et de chaussures discount de New York pour tous les âges, le slogan de Daffy's – *High Fashion. Low Prices* ("Haute couture. Bas prix") – n'est pas tout à fait juste : les magasins n'ont rien d'une boutique de haute couture, en revanche, les prix sont aussi bas que promis.

Les quartiers fashion

Contrairement à ce que son nom indique, le Fashion ou Garment District n'est pas l'endroit où l'on fait son shopping, à l'exception de Macy's. Le quartier, entre 34th et 42nd Street, Broadway et 9th Avenue héberge les ateliers de confection, les merceries et autres produits en gros. Pour les collections, on ira voir ailleurs.

5th et Madison

Les plus beaux magasins de New York sont pour la plupart situés sur 5th Avenue autour du Rockefeller Center et sur Madison Avenue, à hauteur de Central Park (entre 60th et 80th Streets). À moins d'être Julia Roberts dans *Pretty Woman*, le lèche-vitrine suffira à satisfaire sa fringale de shopping : à l'intérieur, les prix coupent très vite l'appétit.

Soho

L'ancien quartier des galeries et des artistes du temps de Basquiat et Warhol. Cette époque résolument révolue a laissé place aux magasins de mode, du haut de gamme au discount, avec en guise de balises : Prada (Broadway et Prince Street) d'un côté et Bloomingdale's (Broadway et Grand Street) de l'autre.

Tailles

Outre les jeans, les tailles américaines commencent au 0, voire 00 (pour les marques spéciales mannequins) et se déclinent en multiples de 2 : 0 = 36, 2 = 38, 4 = 40, etc. Pour les chaussures, c'est bien plus simple, il suffira d'enlever le 3 pour trouver sa pointure : 6 = 36, 7 = 37, etc.

Où trouver les jeunes designers branchés ?

Pour découvrir les collections des tout nouveaux venus sur le marché du prêt-à-porter, on se baladera dans les rues de Nolita (entre Bowery et Lafayette et entre Houston et Spring Street), le Meatpacking District (entre Gansevoort, 10th Avenue et West 13th Street) ou encore sur Orchard Street, feu le Bargain District (le quartier des affaires).

Vintage

Les amateurs de *vintage* à New York n'auront qu'à se pencher pour ramasser ce qui leur plaît. Si des boutiques aux odeurs de naphtaline jalonnent la ville de Upper East Side à Brooklyn, c'est plus souvent dans la rue que l'on découvrira les meilleurs plans. Le week-end, à Williamsburg, Fort Greene ou Park Slope ou même à Manhattan dans l'Upper West Side ou le Village, des *yard sales* (vide-greniers ou brocantes) impromptus envahissent les trottoirs. Évidemment, il y en a davantage en été, mais il faut tout de même beaucoup de neige pour décourager un New-Yorkais.

Ina

208 East 73rd Street, entre 2nd et 3rd Avenues • **Upper East Side**
M° 6 : 77th Street • Tél. 212-249-0014 • Du lundi au samedi jusqu'à 19h ; le dimanche jusqu'à 18h • Quatre autres magasins dans Manhattan : liste à consulter sur www.inanyc.com
On ne trouve ici que des marques de designers contemporains ultra-branchés : Ina brade des articles de seconde main à peine usés. Du jean à la robe de soirée, tout est classé par couleur, par style et par taille – hyper-organisé.

Zachary's Smile

317 Lafayette Street, entre Houston et Bleecker Streets • Noho
M° 6 : Bleecker Street ; M° B-D-F-V : Broadway/Lafayette Street
Tél. 212-965-8248 • Du lundi au samedi jusqu'à 20h ; le dimanche jusqu'à 18h
Vrai *vintage* et nouvelles collections inspirées des époques exposées
le long des portants, cette boutique élégante et propre mélange les
genres : de la robe à fleur à la salopette en jean, des bottes de cow-
boy aux talons aiguilles.

Tokio7

64 East 7th Street, entre 1st et 2nd Avenues • East Village
M° 6 : Astor Place • Tél. 212-353-8443 • Tous les jours jusqu'à 20h
Dans ce dépôt-vente, les accessoires de luxe et les robes de soirée
signées Issey Miyake ou Yohji Yamamoto, à peine usés, sont à une
fraction du prix habituel. Les portants de prêt-à-porter sont classés
par taille, mais unisexe. Seul ombre au tableau : il n'y a pas de miroir
dans les vestiaires, d'où l'intérêt de faire son shopping avec un ou
une bon(ne) ami(e).

What Comes Around Goes Around

351 West Broadway, à l'angle de Broome et de Grand Streets • Soho
M° 1-A-C-E : Canal Street • Tél. 212-343-9303 • www.nyvintage.com
Tous les jours jusqu'à 18h
La plus grande collection de *vintage* de la côte atlantique, en plus
de la boutique, possède un showroom de plus de 700 m² au coin de
la rue, avec en stock plus de 100 000 articles. C'est là que vont les
designers, les costumiers, les producteurs ou les stylistes pour s'ap-
provisionner en fripes de toutes sortes. On peut visiter le showroom
sur rendez-vous, mais la boutique semblera bien assez fournie à la
majorité du grand public.

Beacon's Closet

88 North 11th Street, entre Berry et Wythe Avenue • Brooklyn/Williamsburg
M° L : Bedford Avenue • Tél. 718-486-0816 • www.beaconscloset.com
Tous les jours jusqu'à 21h

Chic et pas cher, on trouvera là autant de *vintage* que de fashion du moment à des prix aussi improbables que certaines pièces de haute couture égarées.

Le bon plan : les œuvres de charité

Depuis plus d'un siècle, la Spence-Chapin Thrift Shop se finance en grande partie en revendant à vil prix les garde-robes des mamans de l'Upper East Side, la plupart signées Prada, Miu-Miu ou Marc Jacobs, entre autres.

Voir aussi à travers la ville les magasins de la Salvation Army (www.salvationarmyusa.org) ou de Goodwill (http.locator.goodwill.org).

SPENCE-CHAPIN THRIFT SHOP
1850 2nd Avenue, à l'angle de East 96th Street • Upper East Side
M° 6 : 96th Street • Tél. 212-426-7643 • Du lundi au samedi jusqu'à 17h

Chaussures

Payless Shoe Source

40 West 14th Street, entre 5th et 6th Avenue • Union Square
M° F-L-V : 14th Street/6th Avenue • Tél. 212-242-3670 • Du lundi au samedi jusqu'à 20h ; le dimanche jusqu'à 18h • Une douzaine de magasins entre Manhattan et Brooklyn : liste à consulter sur www.payless.com

On y trouve des chaussures et des accessoires de diverses marques discount. Au moment des soldes, les filles trouveront des bottines à talons à moins de 20 $ et les hommes des mocassins pour trois fois rien. À ce prix, on ne peut pas s'attendre à des critères de qualité exceptionnels, mais on trouvera difficilement moins cher.

Skechers

140 West 34ᵗʰ Street, entre 6ᵗʰ et 7ᵗʰ Avenues • Midtown West
M° 1-2-3 : 34ᵗʰ Street/Penn Station • Tél. 646-473-0490
www.skechers.com • Du lundi au samedi jusqu'à 22h ; le dimanche jusqu'à 20h
On trouve ici des chaussures sportswear ultra-confortables pour
les adultes et pour les enfants. En moyenne autour de 40 $: elles
sont nettement moins chères qu'une paire de Nike et de retour en
France, on pourra faire l'original.

Nine West Outlet

2992 3ʳᵈ Avenue, 154ᵗʰ street • M° 2-5 : 3ʳᵈ Avenue/149ᵗʰ Street • Bronx
Tél. 718-585-3878 • www.ninewest.com • Du lundi au samedi jusqu'à 20h ;
le dimanche jusqu'à 18h
On verra des boutiques Nine West partout, de Soho à l'Upper East
Side, mais il faudra aller dans le Bronx pour trouver la même paire
de ballerine moitié moins cher. Pendant les *happy hours* de la chaus-
sure, on pourra même acheter deux paires pour le prix d'une !

Jeans

Uniforme du New-Yorkais type, le *blue jean* est aussi l'article
fashion par excellence et on en trouve aussi bien au supermarché
à 20 $ que dans les boutiques de Soho quinze fois plus cher. Voici
quelques marques sûres à moins de 100 $.

Abercrombie & Fitch

South Street Seaport/199 Water Street, entre Fulton et John Streets
Lower Manhattan • M° 2-3-4-J-M-Z : Fulton Street ; M° A-C : Broadway-Nassau Street
Tél. 212-809-9000 • www.abercrombie.com
Du lundi au samedi jusqu'à 21h ; le dimanche jusqu'à 20h
La marque préférée des *college kids* (étudiants de 18-22 ans) fabrique
des jeans tendance à des prix encore abordables (en moyenne 70 $).
Attention, plus ils sont abîmés, plus ils sont chers.

Levi's

Times Square/1501 Broadway • **Times Square** • M° 1-2-3-7-N-Q-R-S-W : Times
Square/42ⁿᵈ Street • Tél. 212-944-8555 • www.levis.com
Du lundi au samedi jusqu'à 21h ; le dimanche jusqu'à 20h

L'inventeur du jean est toujours d'actualité. Si d'autres marques
l'ont détrôné en branchitude, le bon vieux Levi's ne déçoit jamais.
Dans le magasin de Times Square, des conseillers sont là pour guider
les indécis vers la coupe idéale, à partir de 40 $ (beaucoup moins
cher qu'en France).

Canal Jean Co.

2236 Nostrand Avenue, entre Avenue H et Avenue I • **Brooklyn/Bedford-Stuyvesant**
Tél. 718-421-7590 • M° 2-5 : Brooklyn College/Flatbush Avenue
Du lundi au samedi jusqu'à 19h30 ; le dimanche jusqu'à 18h

Du temps où le magasin était idéalement situé au sud de Soho, des
foules faisaient la queue à la caisse pour acheter le dernier jean de
designer à moitié prix. Aujourd'hui, si la douzaine de stations de
métro supplémentaires de Downtown rallongent le trajet, au moins,
on n'attend plus pour payer.

Surplus (stocks)

Malheureusement, les loyers à New York ne permettent qu'à peu de
magasins de se payer le luxe d'avoir un entrepôt de produits bradés.
Seuls quelques rescapés, à Williamsburg, aux confins du quartier
loubavitch, feront le bonheur des modeux.

A.P.C. Surplus

33 Grand Street, entre Kent et Wythe Avenues • **Brooklyn/Williamsburg**
M° J-M-Z : Marcy Avenue • Tél. 347-381-3193 • Du mercredi au dimanche jusqu'à 19h

Réductions sur toutes les collections : les meilleures affaires se trouvent dans les bacs disposés par terre où un assortiment de soldes
sursoldées feront les délices des chineurs.

Paul Smith Surplus

280 Grand Street, entre Roebling et Havemeyer Avenue
Brooklyn/Williamsburg • M° L : Lorimer Street/Bedford Avenue
Tél. 718-218-0020 • Horaires variables, appeler au préalable

La marque anglaise casse ici ses prix : on compte jusqu'à 70 % de réduction par rapport aux prix affichés dans les boutiques de Manhattan. Une adresse qui vaut deux détours plutôt qu'un !

Brooklyn Industries Outlet

184 Broadway, à l'angle de Driggs Avenue • **Brooklyn/Williamsburg**
M° J-M-Z : Marcy Avenue ; M° L : Bedford Avenue • Tél. 718-218-9166
www.brooklynindustries.com • Tous les jours de 11h à 20h

Depuis 2001, le *messenger bag* – sac de coursier, en bandoulière – de Brooklyn Industries est devenu une pièce essentielle du *casual wear* (tenue du quotidien) new-yorkais. La marque est aussi célèbre pour ses casquettes, t-shirts et sweats à capuche. Ici, vous êtes dans le magasin d'usine et vous trouverez l'introuvable...

Le marché des jeunes designers

Tous les week-ends, les rues de Nolita sont envahies par de jeunes designers qui présentent leurs collections – bijoux fantaisies, pulls tricotés main ou t-shirts imprimés – à des prix nettement plus abordables que les boutiques voisines.

Une fois par an, la *"Renegade Craft Fair"* – rassemblant des designers locaux, artisanaux et marginaux – vient de Chicago dont elle est originaire pour s'installer à Brooklyn. C'est en général au mois de juin à McCarren Park Pool, sur Lorimer Street, entre Driggs et Bayard Avenues. Pour plus de précisions, consultez le site : www.renegadecraft.com

YOUNG DESIGNERS MARKET
286 Mulberry, entre Prince et Houston • Nolita
M° R-W : Prince Street ; M° B-D-F-V : Broadway-Lafayette Street
Le week-end de midi à 19h

Marchés aux puces

Les puces perdent de plus en plus de terrain dans Manhattan. À mesure que les anciennes zones industrielles sont rachetées par les promoteurs immobiliers, les *flea markets* disparaissent. Voici quelques "survivantes", bien folklo.

The Garage

112 West 25th Street, entre 6th et 7th Avenues • Chelsea
M° 1-F-V : 23rd Street • Tél. 212-243-5343 • www.annexmarkets.com
Le week-end de 9h à 18h

Ce lieu est en effet un parking couvert la semaine, mais le week-end, les voitures laissent place à des vendeurs de toutes sortes : antiquités, robes de soirée, tapis, écharpes, bibelots et babioles, *vintage* ici veut dire *sixties* voire *nineties* (désignant les années 1890). Comme dans tous les marchés, les matinaux chiperont les plus belles pièces et les retardataires feront les meilleures affaires.

Artists & Fleas

129 North 6th Street, entre Bedford et Berry Avenues • Brooklyn/Williamsburg
M° L : Bedford Avenue • Tél. 917-541-5760
www.artistsandfleas.com • Le week-end de midi à 20h

Entre brocante, bric-à-brac et marché d'art, Artists & Fleas présente un peu de tout, y compris des œuvres d'artistes du quartier dans une ambiance jeune et branchée. À une rue de l'Armée du Salut, tout le périmètre alentour se transforme en puces éparpillées où farfouiller devient le mot d'ordre.

Souvenirs

On trouvera des souvenirs typiquement new-yorkais, dont les fameux t-shirts "*I Love NY*" au rébus de Milton Glaser dans tous les quartiers touristiques, à commencer évidemment par Times Square, mais aussi autour de 57th Street et à Chinatown. Un conseil : ne pas les acheter dans le premier magasin que l'on trouve. Plus on s'excentre, moins ils sont chers et on peut faire de très bonnes affaires en achetant des lots – compter 10 $ les 4 t-shirts.

Jack's 99¢ store

110 West 32nd Street, entre 6th et 7th Avenues • **Midtown West**
M° 1-2-3 : 34th Street/Penn Station ; M° B-D-F-N-Q-R-V-W : 34th Street/Herald Square
Tél. 212-268-9962 • Du lundi au samedi de 7h30 à 21h45 ; le dimanche de 9h à 20h45
Grand bazar de Manhattan, on trouve de tout chez Jack : du papier toilette imprimé, des costumes de Halloween, des bonbons en paquets de 100 ; tout y est à prix réduit. Avis aux amateurs de trouvailles aussi insolites que kitsch.

Pearl River

477 Broadway, entre Grand et Broome Streets • **Soho**
M° 6 : Spring Street ; M° R-W : Prince Street • Tél. 212-431-4770
www.pearlriver.com • Tous les jours de 10h à 19h30
Megastore de bibelots, chaussons et tuniques chinoises, entre autres objets hétéroclites, Pearl River n'est plus aussi bon marché depuis qu'il s'est déplacé du vrai Chinatown à Soho, mais c'est encore là que l'on trouve le plus de choix. Les aventuriers iront chercher leur bonheur vers Elizabeth et Mulberry Streets, mais les plus pressés accepteront de payer quelques dollars supplémentaires.

Librairies

La librairie indépendante n'existe plus aux États-Unis, disent les pessimistes. Si force est de reconnaître que les chaînes comme Barnes & Noble et Borders sont omniprésentes dans les villes américaines, New York a su préserver un peu de son âme littéraire et on y trouve encore quelques bouquinistes et libraires érudits, y compris dans la rue, jusque tard dans la nuit.

Housing Works Used Book Cafe

126 Crosby Street, entre Houston et Prince Street • Soho
M° B-D-F-V : Broadway/Lafayette Street ; M° R-W : Prince Street ;
M° 6 : Bleecker Street • Tél. 212-334-3324 • www.housingworks.org
Du lundi au vendredi jusqu'à 21h ; le week-end jusqu'à 19h

Dans un immense loft de Soho, les rayonnages accessibles par des échelles présentent des exemplaires d'un peu de tout, uniquement des dons dont les bénéfices vont aux sans-abri séropositifs.

St. Mark's Bookshop

31 3rd Avenue, à l'angle de East 9th Street • East Village
M° 6 : Astor Place • Tél. 212-260-7853
www.stmarksbookshop.com • Tous les jours jusqu'à minuit

Cette excellente librairie indépendante présente la crème de la production littéraire contemporaine et des classiques de la pensée universelle dans des rayonnages intelligemment agencés. Au fond du magasin, la sélection de revues est aussi pointue que variée.

Three Lives & Company

154 West 10th Street, à l'angle de Waverly Place • **West Village**
M° 1 : Christopher Street/Sheridan Square • Tél. 212-741-2069
www.threelives.com • Du lundi au samedi jusqu'à 20h30 ; le dimanche jusqu'à 19h

Fidèle à l'esprit de Getrude Stein (à qui la librairie a emprunté le titre *Three Lives*), ce petit libraire-bouquiniste dont l'organisation est aussi énigmatique que savante impose la découverte : on n'y trouvera peut-être pas ce que l'on cherche, mais on en apprendra d'autant plus.

The Strand

828 Broadway, à l'angle de East 12th Street • **Union Square**
M° 4-5-6-L-N-Q-R-W : 14th Street/Union Square • Tél. 212-473-1452
www.strandbooks.com • Tous les jours jusqu'à 22h30

"*18 miles of books*", annonce la devanture : avec près de 30 km de livres sur quatre étages, le Strand est une des plus grandes librairies de Manhattan. On y trouve uniquement des livres d'occasion à petit prix ; les collectionneurs dénicheront aussi des éditions rares et limitées de grands classiques, y compris en français.

Disquaires

Les collectionneurs de vinyles ou les DJs professionnels trouveront de quoi faire commerce à New York, mais les amateurs de musique classique ne seront pas non plus en reste. À titre indicatif, les fans de hip-hop, reggae, électro ou rock chercheront plutôt dans les rues du East Village entre East 3rd et East 6th Streets, entre 1st et 3rd Avenues et les jazzmen plutôt à l'ouest, aux alentours de Bleecker Street derrière la 6th Avenue.

Gimme Gimme Records

325 East 5th Street, entre 1st et 2nd Avenues • East Village
M° 6 : Astor Place ; M° F-V : 2nd Avenue/Lower East Side
Tél. 212-475-2955 • Les vendredi et samedi de 13h à 22h ; le dimanche jusqu'à 19h
Rock, soul, blues, jazz, hip-hop, new wave, plus quelques autres sections moins encombrées : ce que l'on ne trouve pas, on le demande au propriétaire, un expert qui chine tous ses titres lui-même.

Satellite Records

259 Bowery, entre Houston et Stanton Streets • Lower East Side
M° F-V : 2nd Avenue/Lower East Side ; M° 6 : Bleecker Street ;
M° J-M-Z : Bowery • Tél. 212-995-1744 • www.satelliterecords.com
Du lundi au samedi de 13h à 21h ; le dimanche jusqu'à 20h
Paradis des DJs, cette adresse de house, trance et staccato est une des plus réputées pour son approche démocratique et sa sélection exhaustive.

Academy Records

12 West 18th Street, entre 5th et 6th Avenues • Flatiron District
M° 1 : 18th Street • Tél. 212-242-3000 • www.academy-records.com
Tous les jours de 11h à 19h
Temple du vinyle, on y trouvera une sélection complète de la musique de chambre aux classiques du blues. Uniquement de seconde main, les disques sont généralement en très bon état, mais les prix des moins bien entretenus sont en fonction.

Bleecker Street Records

239 Bleecker Street, entre Carmine et Leroy Street • **Greenwich Village**
M° 1 : Christopher Street/Sheridan Square ; M° A-B-C-D-E-F-V : 4th Street
Tél. 212-255-7899 • www.bleeckerstreetrecords.com
Du dimanche au jeudi de 11h à 22h ; les vendredi et samedi jusqu'à 23h
Grand comme un supermarché et aussi bien organisé, on y trouvera
autant de 45 tours que de CD récents, des t-shirts et des posters à
rapporter en souvenir ou pour se faire plaisir.

Et aussi...
Academy LPs (pop/rock/jazz LPs)

415 East 12th Street, entre 1st Avenue et Avenue A • **East Village**
M° L : 1st Avenue • Tél. 212-780-9166 • Tous les jours de midi à 20h

Academy Annex

96 North 6th Street, entre Berry et Wythe Avenues • **Brooklyn/Williamsburg**
M° L : Bedford Avenue • Tél. 718-218-8200 • www.academyannex.com
Du dimanche au jeudi de midi à 20h ; les vendredi et samedi jusqu'à 22h

Et pour les gourmets

Chez Zabar's, le plus connu des traiteurs de Manhattan, on trouvera
toutes les spécialités locales, ainsi que des paniers préparés de frian-
dises ou de zakouskis à fourrer en douce dans la valise de ses amis.
ZABAR'S
2245 Broadway, à l'angle de West 80th Street • Upper West Side
M° 1 : 79th Street • Tél. 212-787-2000 • www.zabars.com
Du lundi au vendredi de 8h à 19h30 ; le samedi jusqu'à 20h ;
le dimanche jusqu'à 18h

Vidéo, photo : par ici les bonnes affaires !
B & H
420 9th Avenue, à l'angle de West 33rd Street • Midtown West
M° A-C-E : 34th Street/Penn Station • Tél. 212-444-6615
www.bhphotovideo.com • Du lundi au jeudi de 9h à 19h ;
le vendredi de 9h à 13h ; le dimanche de 10h à 17h
Fermé les jours de fêtes juives

On évitera les magasins d'appareils photo et de caméscopes autour de
la 57th Street qui sont autant d'attrape-touristes et on ira directement à
la source, comme les professionnels.

Sur un pâté de maison entier, ce *megastore* de l'électronique, TV, vidéos
et appareils photo, tenu par des juifs hassidiques, vend tout l'équipement
possible pour les amateurs comme pour les professionnels à des prix
ultra-compétitifs.

New York

CARNET PRATIQUE

À savoir avant de partir

MONNAIE

Pour connaître le taux de change exact entre le dollar et l'euro pendant son séjour, consulter ce site : www.xe.com.

Les coupures de billets de banque vont de 1 à 100 $, comme suit : 1 $, (2 $: rare), 5 $, 10 $, 20 $, 50 $, 100 $. En dessous de 1 $, on paiera en *cents* ou en *quarter* (25 ¢), *dime* (10 ¢), *nickel* (5 ¢), *penny* (1 ¢).

Les cartes de crédit type Visa, Mastercard ou American Express sont acceptées à peu près partout, y compris, depuis peu, dans tous les taxis, à l'exception de quelques restaurants et B & B où il faudra payer en liquide.

Acheter des dollars... à bon prix

On trouvera le meilleur taux de change en tirant de l'argent directement à des guichets automatiques sur place, qui pratiquent les taux interbancaires. Les distributeurs de billets appelés ATM sont disponibles partout dans la ville, y compris dans les delicatessens (épiceries), sur la devanture des immeubles ou dans les banques. Tous facturent une commission comprise entre 1,50 et 2 $, en plus de ce que facture la banque d'origine. Les ATM dans les delicatessens ne permettent de tirer que 100 $ à la fois : aussi est-il plus économique de faire le plein d'une grosse somme d'un coup dans un ATM de banque (où l'on peut tirer jusqu'à 1 000 $ en général) pour éviter les frais à chaque transaction. On pourra par ailleurs changer ses euros en dollars en arrivant à l'aéroport ou dans tous les bureaux "Travelex". Attention, les banques demandent souvent d'y être titulaire d'un compte pour changer les devises et facturent des commissions souvent exorbitantes.

Les *Traveller's checks* sont généralement acceptés partout sur présentation d'une pièce d'identité, mais le taux de change proposé à l'achat n'est pas des plus avantageux.

DÉCALAGE HORAIRE

L'État de New York est coordonné à l'heure de la côte est des États-Unis, autrement appelée EST (Eastern Standard Time), à H-6 de la France. En été comme en hiver, car les États-Unis sont généralement en décalage d'une semaine par rapport au changement d'heure à la française. Le commandant de bord à l'atterrissage indiquera l'heure locale : on pourra donc toujours remonter sa montre à ce moment-là.

TÉLÉPHONE

Pour appeler les États-Unis depuis la France, composer : 00 1 + le numéro à 10 chiffres.
Pour appeler la France depuis les États-Unis, composer : 0 11 33 + le numéro à 10 chiffres sans le 0.

Pour appeler en PCV ou en utilisant une carte de crédit sur n'importe quel téléphone, composer le 0 pour "Operator".

POIDS ET MESURES

Les Américains, pourtant à la pointe de la technologie dans tant de domaines, sont restés à l'âge de pierre en ce qui concerne les mesures, calculées, comme au bon vieux temps, selon les parties du corps : *inch* étant la taille d'un pouce ; *foot* un pied ; *yard* un tour de taille ; *mile* (de latin *mille passus*) mille pas.

Table de conversion des distances

1 *inch* (in') : 2,54 cm
1 *foot* (ft ou 12 inches) : 30, 48 cm
1 *yard* (yd ou 3 feet) : 91,44 cm
1 *mile* (mi) : 1,6 km

Table de conversion des liquides

1 *fluid ounce* (fl oz) : 2,96 cl
1 *pint* (pt ou 16 fl oz) : 47,3 cl
1 *quart* (qt ou 2 pt ou 32 fl oz) : 94,6 cl
1 *gallon* (gal ou 4 qt ou 128 fl oz) : 3,8 l

Table de conversion des solides

1 *ounce* (oz) : 28,3 g
1 *pound* (lb ou 16 oz) : 453,6 g

TEMPÉRATURE

Pour convertir les degrés Fahrenheit (unité de mesure de la température aux États-Unis) en degrés Celsius, il faudra procéder à un calcul mental idéal pour tester ses compétences mathématiques :
$Tc = (5/9) \times (Tf - 32)$
(Tc : température en degrés Celsius ; Tf : température en degrés Fahrenheit)

Ceux qui préféreront n'avoir qu'une vague idée plutôt que de passer leur séjour en conjectures s'accommoderont des chiffres ci-dessous :

104 F	40 °C
95 F	35 °C
86 F	30 °C
59 F	15 °C
32 F	0 °C
0 F	- 18 °C

ÉLECTRICITÉ

Le voltage des prises de courant américaines (à pôles plats) est de 110-115 V, fréquence 50 Hz. Pour utiliser les appareils électriques de France, il est impératif de se munir d'un adaptateur à acheter sur place à l'aéroport ou dans les grands magasins, y compris dans les pharmacies (voir plus bas).

LES ANIMAUX DOMESTIQUES : SUIVRE LA CONSIGNE OU LES LAISSER CHEZ LA CONCIERGE

Pour voyager avec son animal domestique, les courageux liront dans leur intégralité les cinq pages de règles et régulations disponibles sur le site : http://www.cdc.gov/ncidod/dq/animal.
Les propriétaires de chiens rempliront également le questionnaire (en français) :
http://www.cdc.gov/ncidod/dq/pdf/animal/confinement_fr.pdf.

PHARMACIES

Énormément de pharmacies (*drugstores*) sont ouvertes 24h/24 à New York, et quasiment toutes sont ouvertes le dimanche. Les chaînes les plus connues – CVS, Duane Reade, Rite Aid, Walgreens – vendent aussi des cigarettes (*sic !*). Pour en trouver une en urgence, composez le 311. À titre indicatif :

CVS

253 1st Avenue, à l'angle de East 14th Street • East Village
M° L : 1st Avenue • Tél. 212-254-1454

LES MAGAZINES GRATUITS

Il y a presque autant de magazines gratuits à New York que de journaux à la vente. Ils sont distribués partout dans les cafés, delicatessens ou petites boutiques de quartier. Ce sont les meilleures sources pour être au fait de l'actualité culturelle et pour prendre le pouls de la ville, ils sont inégalés !

The Village Voice

Ce mythique hebdo culturel est connu pour ses petites annonces locales et pour ses articles sur les événements culturels en cours. Il paraît le mercredi et est distribué dans les delicatessens, dans des bacs au coin de la rue ou dans les cafés de quartier.

The Onion

Ce magazine satirique hebdomadaire formaté comme un *tabloid* est aussi cocasse que violent. Tout y est intox, sauf les critiques culturelles, étonnamment sérieuses.

L Magazine

Toutes les deux semaines, le magazine annonce les sorties culturelles à Brooklyn et Downtown – le long de la ligne de métro L.

Brooklyn Rail

Tous les mois, on y trouve des articles de fond sur l'actualité politique, poétique et artistique.

Epicurious

Pour les fans de "*local food*", des critiques gastronomiques sur les nouveaux restaurants à Brooklyn et des articles sérieux sur la cuisine bio et l'agriculture durable.

Pour préparer votre voyage

SITES OFFICIELS

La ville de New York : www.nyc.gov
L'État de New York : www.state.ny.us
L'office du tourisme de New York :
NYC Official Visitor Information Center
810 7th Avenue, entre 52nd et 53rd Streets • M° B-D-E : 7th Avenue
Tél. 212-484-1222 • www.nycvisit.com

SITES EN FRANÇAIS SUR NEW YORK

www.frenchmorning.com/ny
Un webmagazine destiné aux francophones créé et animé par une équipe de journalistes francophones installés aux États-Unis.

www.cnewyork.net
Guide et agent de voyage francophone en ligne, ce site propose des coupons de réduction à imprimer et organise des séjours à la carte, entre autres services.

www.forumny.com
Forum francophone sur New York.

SOS touriste en détresse

Numéros d'urgence

Police/Pompiers : 911
Informations : 411
Questions : 311

"311, hello ?"

Ce numéro a été mis en place par le maire Michael Bloomberg. Il est destiné à tous les usagers de la ville pour répondre aux urgences qui ne méritent pas d'appeler la police ou les pompiers. Où est l'hôpital le plus proche ? Pourquoi la station de métro est-elle fermée ? Pourquoi les poubelles n'ont pas été ramassées ? Un portefeuille oublié dans le taxi ? *Dial* 311.

Le Consulat général de France à New York

934 5th Avenue, entre 74th et 75th Streets • Upper East Side
M° 6 : 77th Street • Tél. 212-606-3600 • www.consulfrance-newyork.org

La Poste Centrale

441 8th Avenue, entre 31st et 33rd Street • Midtown West
M° 1-2-3-A-C-E : 34th Street/Penn Station • Tél. 212-330-3002 • www.usps.com
Tous les jours, 24h/24 ; les courriers sont expédiés du lundi au samedi de 7h à 22h

Index par quartier

Édition Sandrine Gulbenkian et Mathilde Kressmann
Direction artistique Isabelle Chemin, assistée de Marylène Lhenri
Cartographie Aurélie Boissière

Avec la collaboration de Céladon éditions

Achevé d'imprimer en janvier 2011,
sur les presses de Sagim, à Courtry

ISBN 978-2-35179-091-5
Dépôt légal février 2011
N° d'impression : 12187